Loens, Hermann

Da draussen vor dem Tore

Heimatliche Naturbilder

Loens, Hermann

Da draussen vor dem Tore

Heimatliche Naturbilder

Inktank publishing, 2018

www.inktank-publishing.com

ISBN/EAN: 9783750116177

Hermann Löns

Da draußen vor dem Tore

Heimatliche Naturbilder

Warendorf 1911
Verlag der J. Schnellschen Buchhandlung
(C. Leopold).

Unverfrorenes Volk

Schnee liegt in dem Garten, Eis hängt an den Dächern. Gegen Mittag gewinnt die Sonne Macht, sie zermürbt die Eiszapfen an den Dachrinnen, taut den Schnee zusammen und macht hier und da den schwarzen Erdboden frei. In der Mitte des Gartens, wo die Sonnenstrahlen am stärksten hinfallen, steigt ein silberner Punkt auf, tanzt hin und her, blitzt auf und ab. Ein zweiter, dritter, vierter folgt ihm, und immer mehr erscheinen, bis über der Buchsbaumeinfassung, die steif und dunkel von dem weichen, hellen Schnee absticht, ein Wirbel von blitzenden Silberpunkten flimmert.

Kopfschüttelnd sieht sich der Besitzer des Gartens, der das Vogelfutterhaus mit frischem Mischsamen versehen wollte, das Geflirr an. Er will seinen Augen nicht trauen, denn er erkennt, daß die blitzenden Punkte Mücken sind, richtige Mücken von der Größe der Stechmücken, die ihn im Sommer oft peinigten.

Er nimmt an, daß es sich um eine jener Ausnahmeerscheinungen handele, an denen die Natur so reich ist, um einen durch besondere örtliche Verhältnisse entstandenen Vorgang, denkt vielleicht, daß, weil es Waschtag ist, es in der Waschküche überwinternde Mücken sind, die durch die Glut des Herdes aus ihrer Erstarrung erweckt sind; er zieht sie in Vergleich zu den

238676

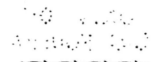
beiden Schmetterlingen, dem Pfauenauge und dem kleinen Fuchs, die gestern beim Reinmachen der geschlossenen Veranda von dem Mädchen gefunden und als bedeutende Naturwunder in das Wohnzimmer gebracht wurden, wo sie bald aus dem Schlafe erwachten und lustig gegen die Fensterscheiben flatterten.

Als er aber gleich nach dem Mittagessen vor das Tor hinausgeht, wo die Spatzen von allen Dächern zwitschern und in allen Bäumen die Meisen pfeifen, da sieht er überall an geschützten, sonnigen Stellen zwischen den Hecken kleinere und größere Schwärme von Mücken, die in säulenähnlicher Anord- nung auf- und abgaukeln und in ihm das Gefühl erwecken, daß der Frühling schon vor der Tür stehe, und daß bald die Schneeglöckchen im Garten ihre weißen, grüngezierten Glöckchen entfalten werden. Und da er kein Kohlenhändler oder Kürschner oder Festsaalbesitzer ist, ihm also keine geschäftlichen Interessen den Wunsch nahelegen, der Winter möge recht lange dauern, so freut er sich der Frühlingszeichen, als welche ihm die Mücken erscheinen, wenn er auch im Bogen um sie herumgeht.

Letzteres hatte er nicht nötig, denn die Mücken, die im Winter spielen, stechen nicht; es sind aber auch keine Frühlings- zeichen, es sind echte Wintertiere, die nur in der rauhen Jahreszeit zu finden sind, und die, wenn das übliche summende und brummende Volk erwacht, matt und müde in das faule Laub fallen und sterben. Es ist die Tanz- oder Wintermücke, deren Made aus den im Spätwinter und Vorfrühling gelegten Eiern im Herbst auskriecht, im faulen Laube und in Pilzen lebt und nach kurzer Puppenruhe erst im Spätherbste als fertiges Tier erscheint. Es ist der einzige deutsche Zweiflügler, der ein reines Wintertier ist, wie denn die meisten unserer Kerbtiere ausgesprochene Sommertiere sind, die den Winter über als Ei, Larve oder Puppe überdauern, wenn auch viele von ihnen, wie eine Menge Käfer, Schmetterlinge, Bienen, Wespen und Fliegen als fertige Tiere den Winter im Todesschlafe verbringen und nur, wenn ganz besondere Umstände, so anhaltend warme Witterung, eintreten, aus der Erstarrung erwachen und sich zeigen, um dann als große Seltenheiten angestaunt und als Frühlingsboten begrüßt und den Zeitungen als erster Maikäfer oder erster Schmetterling zugesandt zu werden.

Gegenstücke zu den Wintermücken bieten die Schmetterlinge in den zum Teile den Obstbäumen sehr gefährlichen Frostspannern, meist kleinen und zarten, unauffällig gefärbten, aber äußerst fein gezeichneten Nachtfaltern, deren Weibchen statt der Flügel nur Stummel besitzen. Alle zu dieser Gruppe gehörigen Arten erscheinen erst vom Spätherbst ab, doch nicht gerade in der Mitte des Winters, vielmehr tritt um diese Zeit eine Pause ein. Einige Arten sind Spätherbst- und Frühwintertiere, von denen jede Art an eine bestimmte Zeit gebunden ist.

Im Vor- und Nachwinter sieht man diese Falter tagsüber an den Stämmen im Walde sitzen oder auf den Wegen liegen; mit Eintritt der Dämmerung werden sie munter und flattern in regellosem Fluge von Baum zu Baum, um die plumpen, mehr einem Käfer als einem Schmetterling ähnlichen Weibchen zu suchen, gegen die sich der Obstbaumbesitzer durch mit Raupenleim getränkte Pappekragen oder Sackleinwand zu schützen sucht, die er mit der offenen Seite nach dem Boden hin um die Stämme unterhalb der Krone bindet.

Obwohl die Frostspanner Jahr für Jahr in ziemlich großer Anzahl auftreten, so erscheinen sie in einzelnen Jahren massenhaft, und besonders an etwas nebeligen Winterabenden macht es sich ganz gespenstig, wenn der kahle Wald von ihnen durchschwirrt wird. An jedem Stamme, an dem ein Weibchen sitzt, taumeln sich oft mehr als ein halbes Hundert Männchen, und am andern Morgen liegen die toten Falter überall auf den Wegen oder schwimmen auf den Gräben, den Meisen, Spechten, Spitz- und Waldmäusen ein willkommener Fraß.

Außer den Wintermücken und den Frostspannern gibt es aber noch einige Kerbtiere, die ausschließlich im Winter vorkommen, so die Gletschergäste, drei bis vier Millimeter lange, dunkelmetallgrüne, flügellose, behende Tierchen, die an schattigen Stellen der Bergwälder zwischen dem Moose umherhüpfen. Ihre Gestalt und ihr Benehmen ähnelt dem der Gallwespen, doch sind sie mit diesen keineswegs verwandt, sondern gehören zu den Wasserjungfern und Eintagsfliegen.

Zu der niedrigsten Insektengruppe gehören zwei andere Wintertiere unter den Insekten, nämlich zu den Springschwänzen, jenen bekannten winzigen, schmalen Tierchen, die gern auf und unter Blumentöpfen leben und die imstande sind, sich mit einer am Ende des Hinterleibes befindlichen, am Bauche anliegenden Sprunggabel weit fortzuschnellen, eine Vorrichtung, die an die Spielwerke erinnert, die sich Kinder auf dem Lande mit Zwirn, Wachs und einem Streichholze aus dem Gabelbeine der Hühner

herzuftellen pflegen. Das eine ift der Schneefloh, ein grau-
gelbes, fchwarzgefprenkeltes, zwei Millimeter großes Wefen,
das fich in unferen Wäldern auf fchmelzendem Schnee findet,
auf dem es allerlei winzige Algenfporen abweidet und munter
hin- und herhüpft. Sein naher Verwandter, der Gletfcherfloh,
der auch nicht größer, aber fchwarz und lang behaart ift, lebt
auf höheren Gebirgen, befonders in den Alpen, kommt aber
auch fchon im Riefengebirge vor. Dort ift er nur im Winter zu
finden, während er in den Gletfcherbezirken auch im Sommer lebt.

Auch unter den deutfchen Landfchnecken finden fich zwei
Gruppen, die Glasfchnecken, die man nur vom Herbfte bis zum
Frühling findet. Es find kleine Tiere mit fehr dünnen, glas-
hellen Gehäufen, die bei der einen Gruppe, den Daudebardien
fo klein find, daß fie kaum ein Drittel des Leibes bedecken.
Auch hier zeigt es fich wieder, daß die alpinen Formen im
Sommer vorkommen, während man die Arten der Ebene und
der Mittelgebirge erft im Spätherbfte antrifft, während fie den
Sommer als Ei tief im feuchten, kühlen Laube oder unter
naffem Steingeröll in fchattigen Schluchten und Mulden überdauern. Alle zu diefen beiden Gruppen gehörigen Arten find
einjährige Tiere und von räuberifcher Natur, die von anderen
kleinen Schnecken leben, deren Gehäufe fie mit ihrer mit vielen
fcharfen Kalkzähnen befetzten Zunge durchfeilen.

So winzig und unfcheinbar diefe Schneckchen fowie der
Schneefloh und der Gletfchergaft auch find, fo find fie für den
Naturforfcher doch viel belangreicher als manches große, auf-
fallend gefärbte Wefen, einmal deswegen, weil fie, obwohl

kaum mit hervortretenden Schutzvorrichtungen versehen, imstande sind, bei hohen Kältegraden ein bewußtes Leben zu führen. Versuche, die man mit dem Gletscherfloh anstellte, ergaben, daß er eine Temperatur von zehn Graden Kälte, der man ihn in eingefrorenem Zustande aussetzte, ohne Schaden überwand.

Sodann sind diese Tierchen, wie die großen Gesteinsblöcke der norddeutschen Tiefebene, mit Sicherheit wohl als Überbleibsel aus jener Zeit aufzufassen, in der Norddeutschland Zehntausende von Jahren ein arktisches Klima hatte und in Eis und Schnee lag. Damals weideten an den Rändern der Gletscher Moschusochse und Ren, Schneefuchs und Vielfraß stellten dem Lemminge nach, der Jagdfalke und die Schneeeule hausten dort, zwergige Birken und kriechende Weiden bedeckten das Geröll der Gletscherhalden.

Sie alle verschwanden, als das Eis abschmolz, und blieben nur noch im hohen Norden erhalten oder gingen, wie das Mammut, völlig unter. Einige Kerbtiere und wenige Schnecken allein blieben erhalten aus jener Zeit, in der der Mensch, mit Steingerät bewaffnet, in unserer Heimat dasselbe Leben führte wie heute noch der Eskimo und der Grönländer.

Aus toten Dingen, Gletscherschrammen an Steingeschieben, Knochen- und Steinwaffenfunden im Boden und Seeschlamm denkt sich der Forscher ein Bild jener Zeiten zusammen, deren einzige lebende Zeugen, von einigen Pflanzen abgesehen, winzige Kerbtiere und zwerghafte Schnecken sind, die im Winter ihr seltsames Leben führen, das unverfrorene Volk.

In der Aue

Die Aue ist nicht mehr der große Landsee, ist nicht mehr eine einzige weite Wasserfläche, die sie den Winter über war. Ihre Waffer sind gefallen, die Ufer, von zähem Schlick bedeckt, werden immer höher und höher, das Wiesengelände verbreitert sich mit jedem Tage, die grünen Infeln vergrößern sich, fließen zusammen, drängen das Waffer immer mehr zurück, teilen es, lösen es in einzelne Teiche auf, und je dicker die Knospen schwellen, je lauter die Vögel singen, um so schwächer wird die Herrschaft des Waffers, bis schließlich nur noch einige aus dem jungen Grase hervorschimmernde Lachen verraten, daß die große weite Aue vor kurzem ein weiter See war.

Mehr als je suchen darum jetzt die Leute sie auf, sich an dem Geglitzer des Waffers erfreuend, an dem Klatschen der Wellen, den herben Geruch einatmend, der von dem gekräuselten Wasserspiegel heranweht, die durch die Enge der Stadt ermüdeten Augen stärkend an dem weiten Blick bis zu dem blauen Kamme der Berge und froh das bunte Leben betrachtend, das vor ihnen sich regt mit Knospe und Blüte, Stimme und Flug. Frühmorgens ist es am schönsten hier; dann fallen die Sonnenstrahlen auf die Wasserflächen und prallen als lange weiße

Blitze zurück. Über der Ferne ist ein zarter Duft, und die Nähe ist voller frischerwachten Lebens. An den Gräben sprießen in strotzender Kraft gelbgrüne Schwertlilienblätter, und dicke Tautropfen hängen an jeder Knospe.

Rundumher klingen Lieder. In einer Woche haben die Vögel singen gelernt. Der Grünfink hat sein seidengrünes Hochzeitsröckchen angezogen und schnarrt sein einfaches Liebeslied herunter. Der Buchfink, stolz auf seine rote Weste, schlägt seine Weise bis zum Ende durch, die Amsel hat schon bedeutende Fortschritte gemacht, die Goldammer ist zwar noch nicht ganz sicher, kommt aber doch meist schon zu Ende, die Lerchen in den Lüften aber singen, als wären sie den ganzen Winter über nicht aus der Übung gekommen, und die Stare auf den Pappeln pfeifen in allen sieben Tonarten.

In alle diese kleinen Lieder klingt ein lauter, fremder Ruf, ein Ruf, der gar nicht hierher gehört, der den Menschen an einen gelben, muschelbesäten Strand und an den strengen Geruch des Meerwassers erinnert. Er kommt von einem großen, weißen, schmalflügligen Vogel, der, in der Sonne wie Silber blitzend, über den Park hinwegklaftert. Schwarz ist sein Kopf, schwarz sind die Fittigspitzen, schlank ist der schneeweiße Leib.

Eine Möwe ist es, die zur Heimat will, zu den Felsbuchten Norwegens oder den Eisklippen Spitzbergens. Den Winter hat sie an der blauen Flut der Adria verlebt; jetzt zieht es sie heim. Aber nach dem Flug über Berg und Tal, Feld und Wald locken sie die Wellen der Aue; einen gellenden Jauchzer stößt sie aus, der hinter ihr zehnmal beantwortet wird, sie

senkt sich, schwebt dicht über dem Wasser hin, fällt darauf ein, und zehn ihrer Gefährten folgen ihr.

Ganz erstaunt recken die grünschimmernden Stare, die an den Böschungen watschelnd der Würmerjagd oblagen, die Hälse, und die drei stahlblanken Krähen, die von ihrer Warte, der alten Ulme, Umschau hielten, sind entrüstet über die weißen Eindringlinge. Mit ärgerlichem Gequarre hassen sie auf die Möwen, und die fliegen auf, schreien, lachen und schweben hin und her über das Wasser, bis die Schwarzkittel müde sind. Da lassen sich die Möwen auf den grünen Inseln nieder, zupfen ihr Gefieder zurecht, recken die langen schwarzweißen Schwingen, und suchen nach allerlei Fraß, einer Schnecke, einem toten Fischchen, einem lahmen Frosch, den die Wellen anspülten, bis die Krähen sie wieder fortjagen, und sie ihnen das Feld räumen und nach dem Flusse hinstreichen.

Dort ist das große Stelldichein der fremden Gäste. Alle fünfzig Schritt schreitet dort eine graue Krähe und überlegt, ob sie sich auf die Heimreise nach Rußlands öden Heiden machen solle, oder ob sie besser täte, hier zu bleiben. Die dunkelgraue Bachstelze, die an dem Graben entlang wippt, überlegt solches nicht; sie macht hier einen Rasttag, und dann wandert sie weiter, nach Ostfriesland, dann über das Meer nach Helgoland und von da aus über das schwarzqualmende London nach den Hochmooren Schottlands.

Auch ihre graurödige Base mit dem zartgelben Brust-einsatz denkt nicht daran, bei uns zu bleiben. Sie will Klippen sehen und strudelndes Wasser und Milliarden von Mücken.

Nach Norwegens Bergwäldern zieht sie es hin. Die Krammetsvögel aber, die haftig auf der Wiese herumfahren und fortwährend scheu um sich spähen, wollen noch weiter, nach Lapplands
und Finnlands Birkenwäldern, wo der Mensch nicht daran
denkt, sie mit roten Beeren hinter schwarzen Pferdehaarschlingen
zu berücken. Und ähnlich denkt der bunte Bergfink, der mit
seinen Genossen quäkend von dem Wäldchen herangestrichen
kommt.

Die Kiebitze aber, die zu vielen Hunderten den graugelben
Schlick nach Würmern absuchen, die wollen nicht so weit. Einen
Tag bleiben sie hier, dann teilen sie sich. Viele ziehen zur
Heide, andere zum Wendland, wieder andere in den Hümmling
und die Hauptmenge nach Ostfriesland. Die schmalen, schüchtern
pfeifenden Pieper, die im gelben Grase herumschlüpfen, machen
es gerade so, bis auf die zwei rotbrüstigen ihrer Sippe, die sich
abseits halten, wie alle Schweden.

Die Kiebitze rufen ängstlich, fliegen hoch, eine schwarzweiße,
lange Wolke bildend, taumeln hin und her und fallen weiter
oben ein. Das große dunkle Kreuz, das vom anderen Ufer
herüberkam, erschreckte sie. Es ist aber nur der Gabelweih,
der Froschfresser und Mäusefänger, und so beruhigen sie sich
schnell. Der segelt, je nach der Beleuchtung schwarz, braun
oder goldrot aussehend, in schönem Fluge über die Wiesen,
kreist über der Wasserfläche und veranlaßt die Enten zu war-
nendem Gequak.

In langer Reihe sitzen diese am feuchten Ufer, ölen sich
das schimmernde Gefieder, suchen im Genist mit den gelben

Schnäbeln, watscheln bedächtig zum Wasser, steigen hinein, klatschen heftig quakend mit den bunten Flügeln, kehren dann die Hinterseite nach oben und vertiefen sich, gründlich gründelnd, in die Geheimnisse des Wassers. Bis ein alter Erpel warnend aufquarrt und klatschend über das Wasser läuft; da stiebt die ganze Gesellschaft empor, drängt sich zusammen, streicht gerade aus und steigt dann höher und höher. Ein Entenpaar aber vergaß beim zärtlichen Geschnäbel die Flucht, und schon ist das Unheil über ihnen. Der Wanderfalke stößt herab, ehe der Erpel den Weidenbusch gewinnt, stürzt mit seiner Beute zu Boden, und die verwitwete Ente streicht mit Angstgekreisch ab.

Im Weidenbusch sitzt der Zaunkönig und schimpft Mord und Brand über den Landfriedensbrecher. Auf einmal macht er ganz runde Augen und wird ganz starr. Denn vor ihm, auf dem eingerammten Pfahl, sitzt auch ein Zaunkönig, aber ein riesiger, fast so groß wie eine Amsel. Auch der hält den kurzen Schwanz hoch, auch der knixt und dienert genau so wie er selbst, auch der fliegt mit demselben schnurrenden Flügelschlage, auch der huscht genau so wie ein echter Zaunkönig durch die Weidenbüsche. Nur ein bißchen dunkler ist er, und eine weiße Weste hat er.

Das ist eine Wasseramsel aus Norwegen, die den Winter bei Verwandten im Harz war. Bis jetzt hat es ihr dort gut gefallen, aber nun bekam sie Heimweh und sagte, sie müßte unbedingt fort. Und so ist sie weiter gewandert, so schnell es ihre kurzen Flügel erlaubten, hält sich einen halben Tag hier auf und zieht dann weiter.

Und so machen sie es alle, die Fremden, die auf der Aue einfallen, die Kraniche, die nur ein halbes Stündchen dableiben, die Rohrdommel, die den Tag über in dem Weidendickicht schläft, die Leinfinken und Schneeammern, Haubentaucher und Säger, Strandläufer und Schnepfen.

Einen schönen Tages sind alle fort und an ihre Stelle treten die Pieper und gelben Bachstelzen, Goldammern und Grasmücken, Rohrsänger und Hänflinge, und was sonst noch lebt und webt in der Aue.

Die Tage der tausend Wunder

Schon lange singt die Amsel im Garten, schon lange der Fink im Walde. Das Schneeglöckchen fiel müde um, tot liegt der Krokus im jungen Grase. Was die Amsel sang und der Fink schlug, was das Schneeglöckchen und der Krokus blühten, was Hasel, Erle und Espe stäubten, was die Märzmotte tanzte und der Frosch murrte, Dorfrühling war es, aber der Frühling nicht.

Erst als das Lied der Singdrossel vom Eichenwipfel klang, und über die ersten Grasspitzen im Walde der gelbe Falter taumelte, da zog der Frühling in das Land hinein, hüllte die Kornelkirsche in mattes Gold, hob jedes Zweiges braune Armseligkeit durch schimmernde Knospen und vollbrachte tagtäglich tausend schöne Wunder.

Das ist schon lange her. Nicht mehr grüßen wir jedes grüne Blättchen mit frohen Augen, liebkosen nicht mehr jedes schwellende Knöspchen mit freundlichem Lächeln; es sind der Blätter zu viele und übergenug der Knospen, und da es überall singt und klingt, tanzt unser Herz nicht bei jedem Vogelliede, wie an jenem Tage, da die erste Märzdrossel sang, der erste gelbe Falter flog, des ersten Märzblümchens Blauaugen aus fahlem Laube sahen. Wir wurden der kleinen Wunder ge-

wöhnt und sehnten das große Wunder herbei, das Wunder der
Allbegrünung des Waldes, und wir zürnten dem Ostwind, der
dem Frühling die Hände band.

Er hat es gut gemeint, hat pfleglich gehandelt, daß er
dem Westwind wehrte und dem Regen und der Sonne die
Kraft nahm. Des Menschen Herz wird allzuschnell satt, dank-
los wendet es sich am Ziele ab, achtet das lange ersehnte Ge-
schenk gering und dürstet nach der Wonne der Vorfreude. Eilig
ist die Jugend, kurz ist der Frühling; was heute weich und
frisch ist, ist morgen hart und staubig. Der Ostwind wußte,
was er tat, als er den Vorfrühling festhielt und den Frühling
warten hieß.

Herrlich ist der Frühling, und prächtig ist der Mai, aber
so süß wie der Vorfrühling, so köstlich ist er nicht. Wonnig
ist die goldene Maienwiese, aber so labt sie uns nicht, wie die
erste Blüte des braunen Waldbodens, wie das erste Blättchen
am kahlen Zweig, und tönt im Mai auch der ganze Wald,
singt jeder Ast und klingt jeder Zweig, blüht jedes Fleckchen
und glüht jedes Eckchen, das große Zauberwerk erhebt uns nicht
so sehr wie die winzigen Wunder, aus denen es entstand.

Jedes von ihnen genossen wir einzeln, kosteten es für sich
aus. Wir sahen das Windröschen mit demütig gebogenem
Halse sich durch das Fallaub stehlen, wartend und frierend, bis
die Sonne ihm Mut zusprach und ihm das blasse Gesichtchen
rötete, sahen den gelben Falter fliegen, den ersten, und unser
Herz machte einen Sprung, und bei jedem, den wir sahen,
sprang es hoch in die Höhe. Der Graudrossel Lied entdeckten

wir und trugen es heim als einen großen Schatz. Jeder Tag brachte neue Wunder, liebe Gaben. Im kalten Gewirre des Stangenholzes brannte eine grüne Flamme; die Traubenkirsche schoß in das Laub und machte sich zum Mittelpunkte des ganzen Waldes. Wilde Eifersucht durchfuhr den Weißdorn. Unnahbar stand er da in grauer Frostigkeit; nun aber platzten vor Grimm seine Knospen, neidisch grüne Blättchen quollen aus ihnen hervor und reckten und streckten sich um die Wette mit dem prahlenden Grün des Traubenkirschenbusches.

Das Winterlaub der Buchenjugenden, das Altlaub der Brombeerranken, die mit hartem Kupferglanz und schwerem Bronzeton weit und breit herrschten, merkten, daß ihre Tage gezählt sind, blaßten ab, schrumpften ein, verdrängt von quellenden Knospen; ihre Zeit ist um, ihr Herbst ist da, ihre Todesstunde ist gekommen. In das Vorjahrslaub fällt Blatt um Blatt, und die Windröschen spreizen hastig ihre Blätter darüber. Und nun, aus Angst, von der Rotbuche überflügelt zu werden, drängt die Weißbuche sich vor, betont jeden ihrer Zweige mit blitzendem Geschmeide, regt sich, rührt sich und hüllt sich in silbergrünes Gefunkel.

Unwillig sieht es der Ebereschenbaum. Er schickt Befehle nach den entferntesten Wurzeln, treibt sie an, hetzt sie auf, und eifrig saugen sie aus Mulm und Moos Saft und Kraft und geben die Säfte dem Stamme und die Kräfte den Zweigen, und ehe es sich die Hagebuche versieht, spreizt sich unter ihr, von oben bis unten in blankes Silber gekleidet, die Eberesche, funkelnd und gleißend im Sonnenlichte, stolz im Bewußtsein,

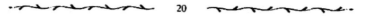

der allerschönste Baum zu sein im ganzen Walde. Der Ahorn aber öffnet seine Truhen, nimmt das goldene Seidengewand hervor und stellt sich keck neben die Eberesche, und die tauscht ihre kalte Silberpracht mit warmem Grün, und unterdessen die beiden sich noch zanken, wer am schönsten sei, hat die Hain= buche noch mehr Smaragden umgehängt und drängt stolz Ahorn und Eberesche zurück.

Nebenan ist derselbe Kampf im Gange. Die dunkele Kiefer, die düstere Fichte, die immer noch schliefen, erwachen langsam und beginnen, sich faul und schläfrig zu putzen. Keiner weiß, wie sie es machen, aber tagtäglich hellt sich ihr Nadelwerk auf, färbt sich ihr Geäst, tauchen mehr strahlende Kostbar= keiten in ihren dunklen Kleidern auf, bis darin Topase leuchten, Smaragde schimmern, Rubinen glühen. Aber ehe sie soweit sind, dreht sich die Bickbeere zu ihren Füßen dreimal vor dem Spiegel hin und her und ist über und über behängt mit dem köstlichsten Perlengeschmeide, und sie lacht die ernsten und be= dächtigen Leute übermütig aus, vorzüglich den Faulbaumbusch, der immer noch dürr und leer dasteht, als hätte er noch wer weiß wie viel Zeit. Nachher muß er sich sputen und wird doch nicht fertig, und noch im Herbst trägt er bei den reifen Beeren grüne Früchte und junge Blüten, steht, wenn alles rot und bunt ist, im grünen Sommerkleide herum, und zieht dann hals über Kopf das gelbe Herbstgewand an, das er drei Tage tragen darf, denn länger erlaubt es der Winter ihm nicht.

Da ist das Geißblatt vorsichtiger. Jeden Sonnenstrahl im Winter nutzte es aus und prangte schon im Januar mit großen grünen Blättern. Aber wie es so ist, launenhaft und krausen Sinnes, muß es sich im Frühling abermals über seine Brüder erheben, und wenn die anderen Bäume und Sträucher grüne Blätter treiben, färbt es die seinigen schnell zu vorlautem Kupferrot, und wenn alle anderen Büsche Früchte ansetzen, hängt es einen Wirbel wachsweißer Blüten in sein grau gewordenes Laub. Aber wenn der erste Reif das Gras zerbricht, dann prahlt mit frechem Granatschmucke der zeit- lose Busch.

Während nun alle diese Bäume und Büsche sich um die Wette bemühten, ihre Frühlingskleider anzulegen, und täglich neue Künste trieben, standen die Rotbuchen da, als ginge sie das alles nichts an. Sie trugen gelassen ihr strenges, graues, schwarz und grün gestreiftes Winterkleid und nahmen sich kaum die Muße, ihre Knospen für das Fest vorzubereiten. Bis dann der Tag kam, an dem der West mit dem Ost sich balgte, bis es ihm gelang, in den Wald einzudringen und eine Hand- voll Regen hineinzusprühen. Da spannten sich die harten, spitzen, trockenen Knospen, sie wurden weicher, runder und saftiger. Aber eine Woche lang warteten sie noch, bis der Westwind wieder eine erquickende Spende über sie goß, und nun konnte dort und da ein Zweig den Mut nicht halten, die goldenen Hüllen zerstoben, und unten um die kalten Silber- stämme tanzten smaragdene Falter, erst einige wenige, hier ein Trüppchen, dort ein Flug, bis ein langer Nachtregen kam, Scharen der grünen Schmetterlinge aus den Knospen lockte und das Astwerk mit einem grünen Geflimmer erfüllte, das sich von Tag zu Tag vermehrt, bis alle anderen Farben am Himmel und am Boden davor verschwanden.

Heute schon ist viel verschwunden, was gestern noch da war. Jüngst standen die Stämme der Buchen noch so scharf abgerissen im roten Laube; jetzt verschmelzen sie gänzlich mit dem grünweißen Estrich. Ihr blankes Silber verlor seinen eisigen Blick, ihr giftiges Grün sein freches Starren, ihr unheimliches Schwarz sein böses Gesicht. Die Stechpalmenhorste zu ihren Füßen, die so frühlingsgrün aus dem Schnee leuchteten und so lustig aus dem toten Laube blitzten, sie bedeuten gar nichts mehr gegen das viele junge weiche Grün ringsumher, und wo sie noch sichtbar werden, wirken sie hart und lieblos.

Der Frühling hat einen leichten Sinn, und kurz ist sein Gedächtnis. Eben noch bot das rote Laub am Boden seinem ersten Grün einen herrlichen Hintergrund, heute schon schiebt er es beiseite, schämt er sich des Erbgutes des Winters und bedeckt es hastig mit tausenderlei Grün und hunderterlei Farbe, damit niemand merke, daß er alle seine Schönheit und Frische und Jugend dem toten Laube und den welken Blättern zu danken habe, und alle Freude verläßt sein Antlitz, erinnert ihn der Ostwind mit rauhem Worte an seine Herkunft, mit roher Hand aus Grün und Blüten die vergilbten, vergessenen Erinnerungen zerrend. Dann schauert der Frühling zusammen und sieht zitternd in die fahle, trockene Zukunft.

Einen Augenblick später vergißt er die Angst vor ihr und schafft emsig weiter, Wunder neben Wunder stellend mit liebreichen, weichen Händen. Die harte, zackige Ranke der Brom=

beere schmückt er mit weichen, runden Flöckchen, er lockt aus dem steifen Holunderbusch mildes Blattwerk, webt um düstere Moospolster einen lichten Schein, macht dem schüchternen Waldklee Mut, daß er sich im kalten Schatten der Fichten hervorwagt, rollt mit spielenden Fingern die ängstlichen Farrenwedel auf, verhüllt die sparrigen Lärchenbäume mit zartgrünen Schleiern, erweckt des Pfaffenhütchens Selbstbewußtsein, der Weide Ehrgeiz, der Erle Willenskraft und wagt sich schließlich sogar an die Eiche heran, die abweisend und unnahbar alle seine Liebe immer wieder von sich stößt.

Bis auch für sie die Stunde schlägt, für sie der Tag kommt, der alle ihre Knospen sprengt, der Tag der tausend Wunder.

Die Wallhecke

Vor Zeiten, als noch Ur und Wisent bei uns hausten, der Grauhund das Elchkalb hetzte und der Adler den Wildschwan dort schlug, wo heute keine Spur mehr von ihnen allen zu finden ist, ließen sich blonde Männer, die von Norden kamen, hier in dem bruchigen Gelände nieder.

Gerade hier, an der besten Stelle weit und breit, wo sich sowohl fruchtbares feuchtes Marschland wie auch sandiger Esch fand, setzte sich ein Bauer fest und baute sich ein festes Haus, dessen Rohrdach auf beiden Seiten bis auf den Boden reichte, und das auf einem starken Unterbau von großen Findelsteinen ruhte. Hoch ragte es mit seinem spitzen Giebel, aus dem der weiße Herdrauch herausfloß, über das Buschwerk des Eschs hervor, das erste feste Haus hier in der Gegend, und wenn abends der rote Feuerschein aus seiner Einfahrt leuchtete, heulten ihn die Wölfe an, wie sonst das Mondlicht.

An diesem Unzeug fehlte es in der Gegend nicht und auch nicht an Bären und Luchsen, und derentwegen und damit ihm sein Weidevieh nicht von den Wildochsen verführt werde, zog der Bauer einen Wall und einen Graben um den Hof. Den Frist des Walles bepflanzte er mit Eichen und Hagebuchen, Weißdorn und Schwarzdorn, und da der Wind und die Vögel allerlei Samen von Bäumen und Büschen herbeiführten, so wuchs auf dem Wall schließlich eine dichte Hecke, zumal da der Bauer, um sie gegen Mensch und Tier noch undurchdringlicher zu machen, die jungen Bäume niederbog und mit den Köpfen eingrub, so daß sie sich auch am Kopfende bewurzelten.

So wie dieser Bauer, so machten es alle, die sich, jeder für sich, in dieser Gegend niederließen und den Busch rodeten. Sie umgaben aber nicht nur ihre Hausstätte mit Wallhecken und Gräben, sondern auch die Weidekämpe und die Ackerstücke, die sie nach und nach dem Urlande abgewannen, einmal der Raubtiere wegen und dann auch des Wildes halber, das ihnen sonst zu viel Schaden an der Feldfrucht tat, denn das Rotwild gelüstete es nach dem milchenden Hafer, und die Sauen waren sehr erpicht auf die Rüben. Da es nun von Jahrhundert zu Jahrhundert immer mehr Bauern in dem Lande wurden, denn der Boden war fruchtbar, und viele Kinder galten als schönstes Gottesgeschenk, so überzog sich das ganze Land bald mit einem Gewirre von Wallhecken, die alle undurchdringlich waren, und deren Zugänge durch Schlagbäume, die mit Schlehdornzweigen umwickelt waren, versperrt werden konnten.

Die wenigen Straßen, die sich der Verkehr allmählich bahnte, waren zumeist Hohlwege, die zwischen hohen Wall-hecken dahinliefen und ebenfalls mit Schlagbäumen gesperrt werden konnten, denn die Zeiten waren oft nicht friedlicher Art; fremde Scharen erschienen, Sommerfahrer von den Inseln im Nordmeere, die plündernd, sengend und mordend durch das Land zogen, oder Weidebauern, die, von den Steppenvölkern

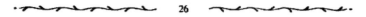

verdrängt, neue Wohnsitze suchten, auch wohl ganze Haufen wilder Reiter aus dem Osten, deren Spuren durch niedergebrannte Weiler und Schädelmäler bezeichnet waren. Sie richteten aber in diesem Lande nicht allzuviel aus. Es war ihnen unheimlich mit seinem Gewirre von Verhauen und Schlagbäumen, hinter denen, von unsichtbaren Händen geschnellt, Pfeile und Speere hervorgeschossen kamen, und sogar die römischen Truppen waren froh, wenn sie das ungemütliche Land mit seinen nassen Gründen und dürren Heiden, seinen Gräben und Hecken, Hohlwegen und Landwehren hinter sich hatten; als schließlich Varus samt seinen Legionen von den wütenden Bauern unter die Füße getreten war, ließen sie sich nicht wieder blicken.

Was sollten sie schließlich auch mit einem Stückchen Land anfangen, in dem es weiter nichts zu holen gab als nasse Füße und Schrammen? Sobald die römische Vorhut in Sicht kam, ging an allen Ecken das Tuten und Blasen los, und Hillebillen und Hörner brachten die üble Kunde von Gau zu Gau. Dann fielen alle Schlagbäume wie von selber herunter, die Gräben und Hohlwege füllten sich mit Wasser, die Engpässe wurden mit Bündeln und Dornzweigen ungangbar gemacht, und wenn dann die Legionäre fluchend und schimpfend bis über die Enkel durch den zähen Kleiboden wateten und endlich zu einem Gehöfte kamen, dann fanden sie nicht Kuh und Kalb, nicht Huhn noch Ei mehr vor; alles, was irgendwie Wert hatte, hatten die Bauern in die entlegene Wasserburg im unwirtlichen Moore geflüchtet, und da saßen sie, aßen zu ihrem schwarzen

Brote ihren guten Schinken mit Behagen und machten sich
über das hergelaufene Volk lustig, das sich beim Herumkriechen
zwischen den Wallhecken die Gesichter schund. Wenn es sich
dann verkrümelt hatte, so kamen sie aus ihren Verstecken
heraus und lebten wieder wie zuvor.

Späterhin aber brach der Franke in das Land ein, und
mit dem wurden die Bauern nicht so gut fertig wie mit den
Römern, denn er war zähe, wie Aalleder. Über das ganze
Land warf er seine Besatzungen, und schlug ihm Herzog Weking
auch noch so oft auf die Finger, kaum waren sie heil, so war
er wieder da. Da half auch die Wallhecke nichts mehr, und
knurrend und brummend mußten die Bauern klein beigeben
dem Wode und der Frigge entsagen und ihre blonden Köpfe
dem Taufwasser hinhalten, und wenn auch manch einer von
ihnen noch ab und zu nach dem Wodeberge hinpilgerte, um
nach der Väter Weise dem Altvater der Götter ein weißes Roß
unter dem heiligen Baume auf dem großen Steine zu opfern,
mit der Zeit ließen sie das sein, denn zu gefährlich war ein
solches Werk, dieweil der Frankenkaiser Todesstrafe darauf
gesetzt hatte. So zahlten sie Zins und leisteten Frone und
beugten sich dem Christengotte.

Die Zeiten kamen, die Zeiten gingen; Gutes und Böses
brachten und nahmen sie; die Wallhecken aber blieben. Es
wurden ihrer sogar immer mehr, obschon sie Bär und Wolf,
Ur und Elch nicht mehr abzuhalten brauchten, denn die waren
schon lange ausgerottet, wie denn auch Hirsch und Sau das
dicht besiedelte Land mieden. Aber immer noch umgab der

Bauer seine Hofstatt, seine Weidekämpe und Ackerstücke mit
Wall und Graben, denn er war sie einmal gewöhnt, diese
dichten Verhaue aus Eiche, Hagebuche, Birke und Espe, Weißdorn und Schlehe über den moosigen, dicht mit den Wedeln des
Eichenfarrn bekleideten Wällen, die im Frühling silbern von
Schlehenblüten sind, und von denen im Sommer das Jelänger-
jelieber seinen schweren Duft in die Abendluft sendet, in deren
krausem Astwerk die Nachtigall schlägt, Rotkehlchen und Mönch
brüten, wo die Elster und der Markwart baut, und vom
knorrigen Eichenstumpfe um die Schlummerstunde das Käuzchen
ruft. Ein Land ohne Wallhecken konnte sich der Bauer in
dieser Gegend hier gar nicht vorstellen, und nichts dünkte ihm
schöner, als am Sonntagnachmittag nach der Kirche, seine Ehe-
liebste hinter sich, die kurze Pfeife im Munde, zwischen Feld und
Wallhecke dahinzuschlendern und seinen Roggen anzutreiben.
In der Wallhecke hat er als kleiner Junge gespielt, hat Sapp-
holz zum Flötenmachen geschnitten, Vogelnester und Himbeeren
gesucht, auch wohl, als er zum Hütejungen heranwuchs, Hasen
und Kaninchen geströppt und die ersten Rauchversuche gemacht;
und so liebte er sie von Herzen.

Hatte sie doch auch in wirtschaftlicher Hinsicht keine geringe
Bedeutung für ihn. Je stärker das Land bebaut wurde, um
somehr verschwanden die Wälder und Haine, und so mußte die
Wallhecke schließlich zum Teil den Bauern das Feuerholz liefern.
Je nach Bedarf holte er sich eine der alten knorrigen, krumm
und schief gewachsenen Eichen oder Hagebuchen von ihr und
pflanzte junge Heister an ihre Stelle, und auch die Stecken für

die Flachtenzäune, die Peitschen-, Harken-, Beil- und Spaten-
stiele und Holz zu allerhand anderen Geräten mußte sie ihm
liefern, desgleichen Maibüsche, um das Haus zu Pfingsten zu
schmücken, und Efeu und Immergrün, um die Gräber zu be-
pflanzen. So war sie ihm in vieler Weise nützlich. Außerdem
hatte er eingesehen, daß sie vielen Vögeln Unterschlupf bot, die
das Ungeziefer kurz halten, und von dem Ilk, dem Igel und
dem Wiesel, die dort hausen, wußte er, daß sie dem Mause-
volke nachstellen, so sehr, daß seit Menschengedenken das Land
hier keinen Mausefraß ausgestanden hat. Sollte er darum
also die Wallhecke nicht ehren und achten, auch wenn über-
kluge Leute ihm vorredeten, sie nähme zu viel Platz ein, be-
schatte das Ackerland zu sehr und hagere mit ihrem Wurzel-
werke den Boden aus? Steht anderswo der Roggen so, daß
ein großer Mann samt dem Hute auf dem Kopfe darin verschwindet? Und wo gibt es Weizen, der solche Ähren hatte,
so dick wie ein Finger? Und was sieht wohl besser aus, so
eine schöne grüne, lebendige Wallhecke, bunt von Blumen und
laut von Vogelgesang, oder ein Zaun aus totem Holz und
kaltem Draht?

So dachte er einst; heute denkt er nicht mehr so. Der
neue Wind, der von Ost nach West weht, und der das hohe
Lied von der alleinseligmachenden, baum- und buschlosen Getreidesteppe nach einer Weise singt, die nicht nach deutscher Art
klingt, hat ihm solange in die Ohren getuschelt, bis er sich
altväterisch und rückständig vorkam, die Axt von der Wand
und die Hacke aus der Ecke langte und sich daran machte, das

Wahrzeichen seines Landes, seiner Väter Erbe, mit Stumpf und Stiel auszuroden. Wo noch vor zehn Jahren Mönch und Nachtigall sangen, Elster und Käuzchen brüteten in den grünen Wallhecken, da reiht sich Feld an Feld, und vom dürren Zaunpfahle oder vom häßlichen Stacheldrahte schallt das blecherne Geplärre der Grauammer, des Vogels aus Ostland, des Sängers der langweiligen Getreidesteppe, ein abstoßender Klang den Ohren der Einheimischen, aber angenehm den Leuten klingend, die, aus Osten kommend, bei dem Bauern, dem die Städte das Gesinde nahmen, schanzen, und deren Sprache und Art ihm ebenso fremd und unschön dünkt wie das Lied des grauen Vogels, den sein Vater noch nicht kannte, und der sich unter der Erde umdrehen würde, könnte er sehen, was aus den Wallhecken wurde, die ihm so lieb und teuer waren.

Es ist nicht nur das Gesicht der Landschaft, das durch das Ausroden der Wallhecken seine schönsten Züge verliert, es ist nicht nur die Tierwelt, die dadurch Einbuße erleidet, auch des Bauern innere Art wird sich, und wohl kaum zum Besseren, verändern, geht das ureigenste Wesen seines Landes zum Teufel. Die schöne, hier und da wohl einmal schädlich wirkende, im großen und ganzen aber zur Vertiefung und Verinnerlichung führende Abgeschlossenheit, die den Bauern auszeichnete, wird ihm verloren gehen. Kahl wird er in seinem Gemüte werden, kahl und arm, wie alles Volk, dem sein Land nicht mehr bietet als Brot und Geld. Verschwinden werden die wundervollen Sagen und Märchen, an denen das Land so reich ist, verklingen werden die schönen, alten Lieder, die die Mädchen

fingen, wenn sie am offenen Feuer das Spinnrad treten, zu
herkömmlichem Brauche wird die tiefgründige Frömmigkeit
verflachen, die des Bauern ganzes Leben nährte.

Dann, wenn es zu spät ist, wird das Volk einsehen, was
es tat, als es ein Ende machte mit der Wallhecke.

Zur Osterzeit

Jeden Morgen schien die Sonne; aber ehe ihre Strahlen
noch Wärme verbreiteten, kam der Südwestwind
über den Berg, hing graue Vorhänge über die
Sonne, färbte das zarte Graurot der alten Dächer des Städtchens
zu totem Schwarzgrau um und überflutete Wege und Stege.

Ab und zu verschnaufte der grämliche Wind und ließ der
Sonne einen Augenblick Zeit, ihre Lieblinge, die stolzen Kaiser-
kronen und die leuchtenden Hyazinthen, die Aurikeln und Nar-
zissen abzutrocknen und aufzurichten. Dann pfiffen sogleich
alle Stare, dann flötete jede Amsel, die Spatzen schilpten, die
Rauchschwalben zwitscherten und hoben sich hoch in die Luft,
und der Wendehals erfüllte die ganze Gartenstraße mit seinem
Gekicher. Nur der Buchfink traute dem Landfrieden nicht und
ließ unermüdlich seinen Regenruf erschallen.

Ich lasse ihn rufen und gehe zum Tore hinaus, an grünen
Stachelbeerhecken vorbei, in denen Braunelle und Müllerchen
singen, unter gewaltigen, von fetten Knospen strotzenden Linden
her, in denen Stieglitz und Grünfink schwatzen, und deren kahler
Zweige Farblosigkeit hier und da eines Ahornbaumes goldene
Blumenfülle unterbricht. Zur Linken hinter dem blauen Ge-
klumpe der Berge quellen dicke weiße Wettertürme herauf, von

rechts her klingt des Grünspechtes, des Regenverkünders, Gelächter; aber noch scheint die Sonne, läßt den kahlen, knospen-
bedeckten Buchenwald dort oben rot aufleuchten, gibt den
sprießenden Lärchen am dunklen Fichtenhang ein helleres Grün,
übergießt den kahlen Berg mit silbernem Schein und wirft auf
die grüne Saat und den roten Acker eine Flut von Licht
und Glanz.

Gestern war hier alles tot, grau und stumpf; heute ist
Leben hier, Farbe und Freude, denn die Sonne, die liebe Sonne
ist da. Sie grüßen die Hähne des Dörfchens hinter dem
Berge, ihr singen Goldammer und Blaumeise; wo sie hinfällt,
schwillt und quillt das Moos am Stamme, reckt und streckt sich
die junge Saat, jeder Vogel singt und klingt, alle Knospen
strotzen und protzen, hell glühen die Berge auf, die ihr Schein
trifft, weiß leuchten des Berges krumme Straßen in ihrem
Strahl, und das ganze Tiefland wirft sich schnell in ein frohes
Festkleid.

Leichter geht sich der steile Weg in der Sonne, leichter als
gestern. Das bunte Farbenspiel in der Runde, die Drosfellieder
ringsumher, das mannigfache Leben auf der Flur und in den
Wipfeln macht meine Füße schneller. Dort jagen sich drei rote
Hasen auf grüner Saat, hier schreiten zwei blanke Krähen auf
rotem Acker, da wippt der Steinschmätzer von Rain zu Rain,
hier schweben Tauben über den Wipfeln, drüben unter dem
Waldschlößchen ziehen die Rehe über das Feld, und vom dürren
Anger hebt sich singend die Heidlerche empor. Aber das rechte
Leben ist hier noch nicht. Zu hart pfeift der Wind, läßt die

Da draußen vor dem Tore.   3

Silberknospen der Heckenkirsche langsamer sich erschließen, als im geschützten Busch, erlaubt den Windröschen nicht, sich zu entfalten, und den Schmetterlingen wehrt er frohen Flug und tändelnden Tanz. Darum ist es auch still hier oben auf der Höhe; doch von dorther, wohin der Wind nicht kommen kann, klingen laute Lieder.

Aber hier, im niederen Buschwalde, herrscht der Frühling unumschränkt. Da schießt und sprießt das üppige Grün in vielfacher Form aus dem fetten Boden, da leuchten aus faulem Laub und totem Geäst Blumen mannigfacher Art. Goldstern und Hahnenfuß glänzen dort in den Farben der Sonne, darüber nicken der Himmelsschlüssel zarte Blüten, Blau und Rot bringen die Lungenblumen dazwischen, und Rosenrot und Lilienweiß die Windröschen.

Hier hat der Regen den Frühling nicht ertränkt, hier hat er ihn erfrischt. An jeder Knospe hängt ein Glitzertropfen, in jedem Blattquirl liegt eine Schimmerperle; warm und feucht, wie in einem Treibhause, ist hier die Luft. Und so weiß der Aronstab gar nicht, wie üppig er wachsen soll; die Knaben-kräuter spreizen saftige Blattrosetten, das Labkraut strotzt vor Kraft, der Bärlauch von Frische, das böse Bingelkraut sucht die Türkenbundschosse tot zu machen, den zierlichen Hasenklee und den blanken Haselwurz.

Heiß fällt das Sonnenlicht auf diese Fülle von jungem Grün und lockt alles zu frohem Lebensdrang, was den hellen Tag liebt. Der Mönch singt und singt ohne Unterlaß, der Weidenlaubvogel unterbricht sein Gejubel nur, um ein Mückchen

aufzuſchnappen, Graudroſſeln und Amſeln pfeifen rings umher, und alles iſt erfüllt vom Geſchmetter der bunten Buchfinken.

Ein rotes Eichkätzchen ſchlüpft von Zweig zu Zweig, vor lauter Luſtigkeit mit dem buſchigen Schwanze ſchnellend und vergnügt kullernd und fauchend, ſo daß die beiden Rehe, die langſam den Grenzgraben entlang ziehen, ganz erſtaunt nach ihm hinäugen. Mit den kohlſchwarzen Geäſen rupfen ſie die zierlichen Blütchen der Hainſimſe und die friſchen Triebe des Weißdorns und treten, als die unbeſtändige Luft ihnen meine Witterung zuträgt, in die Dickung hinein.

Am Grenzgraben ſchlendere ich entlang, an den zu ſelt· ſamen Geſpenſtern verrenkten Hainbuchen vorbei, um die Geiß· blatt und Waldrebe ihre Ranken geſchlungen haben. Ein großer Raubkäfer wildert im alten Laube, eine dicke Weinbergs· ſchnecke kriecht bedächtig über das Moos und über die in der Sonne liegende Blindſchleiche, deren ſilberner Schuppenleib mit veilchenblauen Punkten beſtreut iſt.

Aus dem ſtillen warmen Buſche heraus komme ich wieder auf die Straße, wo der Wind rauh und laut weht. Jenſeits im hohen Buchenbeſtande hat er noch Kraft, aber er bleibt bald zurück und bricht ſich an den Kronen. So kann der Baumpieper über dem fahlen Kahlſchlage getroſt ſein Tanzlied ſingen, kann die Meiſe im blühenden Traubenholunder balzen, kann das Rotkehlchen im ſprießenden Weißdorn ſingen und der Zaunkönig aus der Roſenblütenpracht des Seidelbaſtes ſein keckes Geſchmetter erſchallen laſſen. Wechſelnde Bilder bietet der Weg: dürre Halden mit grauem Steingetrümmer und bleichen

3*

Schneckenhäusern, kahler Buchenwald mit dem Rufe versteckter Ringeltauben, Fichtenbestände, von Meisenruf und Goldhähnchengezwitscher erfüllt, feuchte Quertäler, besät mit der Blütenfülle der Schlüsselblumen, lichtes Haselgebüsch, durchjubelt von Vogelrufen, über bunten Lungenblumenbeeten.

Großes und kleines Leben ist überall. Viele hundert Drosseln und Kernbeißer vereinigen sich hier zu einem Sängerfeste seltsamer Art. Dort folgt haftig Lampe, der gute Mann, der Liebsten Spur, überall im Moose und Laube ist ein Wühlen und Rascheln, Knistern und Krispeln, in jeder Krone ein anderer Gesang. Laut flötet die Spechtmeise, gellend ruft der Buntspecht, der Häher ahmt alle anderen Vögel nach und macht aus ihren Liedern ein närrisches Allerlei, und der Wildtäuber klatscht ihm laut Beifall.

Alle haben sie die Sonne gern, sogar der dicke Kauz hat sich breit aufgeplustert und findet, daß ihm die Wärme gut bekommt. Auch Frau Reinecke, die da irgendwo in der Dickung ein halbes Dutzend Giermäuler zu versorgen hat, macht es sich auf dem moosigen Buchenstumpf bequem und läßt sich die Sonne auf den ruppigen Balg scheinen. Aber ein dürrer Zweig verriet mich ihr, haftig fährt sie durch Dick und Dünn, von dem Geschimpfe des Hähers verfolgt. Der starke Bock aber mit dem hohen, weitausgelegten Gehörn äugt mir ruhig nach; es hat so lange nicht mehr geknallt, und er meint, endlich einmal müßte der Mensch aufhören, ihm nachzustellen.

Langsam zieht er vor mir her, und ich schleiche ihm von Baum zu Baum nach. Hier pflückt er ein Hälmchen, dort rupft

er ein Blättchen, bis er sich erinnert, daß sein Gehörn noch nicht ganz blank ist. Und so plätzt er erst unter dem Weiß- dornbusch, daß Laub und Moos fliegen und Blätter und Blumen wirbeln, und bearbeitet dann mit dem Gehörn den grünen Busch, daß von der ganzen jungen Herrlichkeit so gut wie nichts mehr übrig bleibt.

Endlich hat er genug und zieht über die Bodenwelle, und ich bummele weiter durch den herrlichen lichten Bestand, mich an den stolzen Eichen, hochschäftigen Buchen, kräftigen Fichten und ragenden Birken freuend, bis der geschlossene Buchenwald mich aufnimmt mit seinem hellgrünen Bodenteppich, über dem überall die gelben Himmelsschlüssel nicken.

Auch dieses Stück Wald nimmt ein Ende; rotlaubige Buchenjugenden, schwarzgrüne Fichtenbestände, Buschwald mit buntem Bodenflor wechseln miteinander ab, hier und dort von kleinen grauen Steinbrüchen mit schön geschichteten, moosigen Wänden unterbrochen, aus denen ein Traubenholunder oder ein Rosenbusch die Zweige streckt.

Viele Wege führen von der Straße ab, jeder bietet Schönes und Feines. Gern folgte ich dem einen oder dem anderen, doch meine Zeit ist um, und ich steige den steilen, steinigen Pfad hinab, der mich aus dem jungen Frühlingswalde hinausführt in die alte Stadt, in deren Gärten es überall singt und klingt, wie allerorts jetzt zur Osterzeit.

Die allerschönste Blume

lle Blumen ohne Ausnahme sind schön. Auch die kleinen und unscheinbaren haben ihre Schönheiten, auch die seltsamen und unheimlichen ihre Reize.

Man kann nicht sagen, welche Blume am schönsten ist. Der eine liebt der edlen Rose volle Formen, der andere des Heckenrösleins schlichte Gestalt. Dieser wieder freut sich an des Maiglöckchens zierlichem Blau, jener an der Würde der Lilien. Den dünkt keine herrlicher als des Flieders leuchtende Rispe, der wieder zieht der Heide winzige Blüte vor.

Auch die Blumen sind der Mode unterworfen, auch von ihnen werden einige heute gefeiert und morgen mißachtet. Dem Tulpenkultus folgte der Dahliensport, dann errang die Hyazinthe große Erfolge, diese wich dem Chrysanthemum, das jetzt vor den wunderbaren und wunderlichen Orchideen der Tropen in den Hintergrund tritt.

Auch die wilden Blumen sind von der Mode abhängig, wenn auch nicht so sehr wie die Gartenblumen. Immer hat man das Windröschen geliebt, stets hat man sich am ersten Veilchen gefreut, zu allen Zeiten Himmelsschlüssel gebrochen.

Eine Blume aber war nie modern und wird nie modern werden. Sie ist zu gewöhnlich, zu gemein. Sie steht an jedem

Wege, sie wächst auf allen Wiesen, blüht auf jedem Anger, selbst zwischen den Pflastersteinen fristet sie ihr Leben und wuchert auf dem Kies der Fabrikdächer. Jedes Kind kennt sie, jeder Mensch weiß ihren Namen, alle sehen sie, aber keiner macht Aufhebens von ihr, sagt, daß sie schön sei.

Das ist der Löwenzahn, die Butterblume, die Kuhblume, die Kettenblume der Kinder, deren kleine goldene Sonnen in jedem Rasen leuchten, in jedem Grasgarten strahlen, an allen Rainen brennen, so massenhaft, so tausendfach, so zahllos, daß man sie nicht mehr sieht, weil man sie überall zu sehen gewohnt ist. Und deshalb hält man es nicht für der Mühe wert, sie zu betrachten und sich ihrer feinen Schönheit, ihrer vornehmen Form, ihrer leuchtenden Farbe zu erfreuen.

Nur die Kinder lieben sie. Vielleicht nicht deshalb, weil ihnen die Schönheit dieser Blume zum Bewußtsein kommt, sondern deshalb, weil es die einzige ist, die sie immer und überall pflücken dürfen. Kein Wärter knurrt, kein Bauer brummt, wenn die Kleinen sich ganze Hände voll davon ab-rupfen; sie sehen es sogar gern, denn es ist ein böses Unkraut, der Löwenzahn, ein Grasverdränger und Rasenzerstörer, gegen den alle Arbeit nnd Mühe nichts hilft.

Eine Woche lang kann die alte Frau sich mit steifem Rücken mühsam bückend Busch an Busch aus ihrem Grasgarten stechen; der Wind bläst die Samen heran, die lustigen braunen Kerlchen mit dem silbernen Federkrönchen, niedliche grüne Pflänzchen wachsen aus ihnen, treiben feste Pfahlwurzeln in den Boden, und über das Jahr kann die alte Frau wieder in

ihrem Garten stehen und jäten, bis ihr das Kreuz lahm ist.
Als die alte Frau noch ein kleines Ding war, da hat sie sich
nicht über die Butterblumen geärgert. Da hat sie sich die
ganze Schürze voll davon gesammelt, hat sich unter den alten Apfel-
baum gesetzt in das grüne, mit weißen Apfelblütenblättern dicht
bestreute Gras, hat Stiel um Stiel gedreht, bis der Kranz fertig
war, ihn sich auf das blonde Haar gesetzt, ist in die Stube
gelaufen, auf den Stuhl geklettert, hat vor dem Spiegel lachend
die von dem Milchsaft der Stengel schwarz und klebrig gewor-
denen Händchen zusammengepatscht und gemeint, sie sei die
Königin.

Und da eine Königin nicht nur eine Krone, sondern
auch Geschmeide haben muß, so ist die Königin in den Grasgarten gegangen, hat sich wieder auf ihren grünen, weißge-
stickten Thron unter den rosenroten und schneeweißen Baldachin
gesetzt, hat vielen Kettenblumen die Köpfe abgerissen und
die hohlen Stengel fein säuberlich ineinandergesteckt, einige
Blumenköpfe darein geflochten und sich wunderbar schöne Ohr-
ringe gemacht und herrliche Armbänder und eine Kette, dreimal um den Hals.

Und weil eine Königin auch ein Szepter haben muß, so hat
sie mit ihrem Daumennagel viele Kettenblumenstengel oben fein
gespalten, in den Brunnentrog gelegt, damit sie sich kräuseln, und
sie dann mit roter Strumpfwolle um eine Rute gebunden. Und nun
hat sie ein Szepter, das sah in der Sonne aus, als hätten es die Zwerge
aus Mondscheinstrahlen geschmiedet und mit Sonnenstäubchen
bestreut. Am andern Tage war freilich die ganze goldene Herrlich-

keit welk und schlaff, aber das schadete nichts, denn überall wuchsen Kettenblumen, und kein Mensch wehrte es der Kleinen, sie zu pflücken. Und als der Blumen goldenes Blond zu silbernem Weiß verblichen war, auch da noch boten sie dem Kinde lustigen Zeitvertreib; mit vorsichtigen Fingern brach sie die Stiele, hielt die silbernen Kugel vor ihr Stumpfnäschen, machte aus ihren roten Lippen ein spitzes Schnäuzchen und pustete in die weiße Kugel hinein, daß die braunen Männchen mit den silbernen Federkrönchen sich so sehr erschraken, daß sie alle schnell fortflogen.

So haben es wohl alle Kinder gemacht, die unter blühenden Apfelbäumen im Mai spielen durften, und darum war ihnen die Kettenblume die liebste Blume und schien ihnen die allerschönste zu sein. Später vergaßen sie sie über Nelken und Levkojen und Flieder und Tulpen, aber ganz tief in ihrem Herzen klang doch ein Lied aus alter Zeit, wenn sie im Mai im grünen Gras die erste Butterblume blühen sahen, unwillkürlich grüßten ihre Augen mit zärtlichem Blick die goldene Blüte am Wege. Stände sie nicht am Wege und blühte sie nicht an der Straße, wüchse sie in fernen Ländern, wir hielten sie wohl hoch, fänden Worte des Lobes für die vornehme Form ihres Blattes, bewunderten das tiefe Dukatengold ihrer Blüte, deren Blättchen sich zu einem lockeren Polster wölben. Dichter würden sie besingen, Maler sie nachbilden, und die Märchenerzähler wüßten allerlei von ihr zu melden.

Tränen wären es, würden sie schreiben, die die Sonne weinte, als sie so viel Blut und Elend unter sich sah; Zwergendukaten wären es gewesen, die sich in Blumen umwandelten, als unreine Hände danach griffen; zu dieser Deutung hätte die Blume geführt, die heute goldblond blüht und morgen silbernes Greisenhaar trägt. Da sie aber am Zaune blüht, zwischen Scherben und Schutt, so tritt man sie unter die Füße und achtet ihrer nur, wenn sie den Rasen verdirbt und das Gras verdrängt.

Wäre sie aber nicht da, wir würden sie sehr vermissen. Nicht so frisch würde uns das junge Gras dünken, nicht so herrlich des Apfelbaumes Blütenschmuck; eintönig schiene uns der Rain und langweilig der Grabenrand; des Finken Schlag und der Grasmücke Sang, der Stare Pfeifen und der Schwalbe Zwitschern, weniger lustig würde sie uns klingen, fehlten unter den blühenden Bäumen, dem grünen Grase die goldenen Sönnchen, des Maies froheste Zier.

Tausendfach strahlen sie, zahllos leuchten sie, bringen Licht in den Schatten und Wärme in die Kühle. Winzige Abbilder der Sonne sind es, ganz aus reinem Golde gemacht, ganz ohne einen dunklen Fleck. Man könnte meinen, jeder Sonnenstrahl, der zur Erde fiel, hätte Saft und Kraft bekommen und sich in eine Blume verwandelt, in eine Blüte, golden wie die Sonne und rund und strahlend wie sie.

Es mag ja auch so sein; irgendein tiefer Zusammenhang besteht zwischen der Sonne und ihrem Abbilde. Je heißer die Sonne scheint, je weiter öffnen sich die gelben Blumen, als könnten sie nicht genug Glanz und Glut einsaugen. Und bleibt die Sonne hinter grauen Wolken, dann ziehen die Blumen sich eng zuſammen, als frören ſie nach ihr. Und wer ſie von der Sonne nimmt, ſie mit nach Hauſe bringt und in ein Glas ſtellt, der iſt betrogen; ſie blüht ab, ohne ſich zu öffnen, welkt und wird greis und grau. Aber auf den Gedanken, ſie mit in ſein Heim zu nehmen, wird niemand kommen; ſie iſt zu gemein, dieſe Blume, und es iſt doch die allerſchönſte Bluem.

Am Waldgraben

s ist einer von den Gräben, die den Wald abgrenzen.
Steil sind seine Ufer, stellenweise dicht bewachsen,
dann wieder kahl und bloß. Je nachdem viel oder
wenig Regen fällt, ist der Wasserstand hoch oder niedrig;
manchmal läuft das Wasser wie ein ein quicker Bach, und zu
andern Zeiten schleicht es so langsam hin, das es aussieht, als
stehe es still. Zuzeiten kann ein kleiner Junge bequem hin-
über springen, dann aber wieder muß ein gewandter Mann
sich sehr anstrengen, um von einem Ufer zum anderen zu kommen.

Wenn die Märzensonne durch das Astwerk der Bäume und
Büsche auf den Bord des Grabens fällt, dann regt sich hier
zuerst im ganzen Walde das blühende Leben. Des Huflattichs
Sonnenscheibe strahlt dann in heller Glut, und des Leberblüm-
chens treu blickende Blüte leuchtet aus dem schwermütigen Ge-
ranke des Efeus heraus, bis lustige Lungenblumen, zwiefach
gefärbt, sich aus dem harten Blattwerk hervordrängen, um die
behäbigen, in dichte Pelze vermummten Hummeln anzulocken.

Eines Tages aber werden die Hummeln ihnen untreu,
denn in Menge erscheint der bunte Lerchensporn zwischen dem

44

leichtſinnigen Geflatter der Windrösdchen, auch reißt eines Weidenbuſches ſüß duftendes Blütenwerk die ſummende Kund- ſchaft an ſich, wie denn auch die geſpenſtige Schuppenwurz, deren nackte Blumen ſich wie Kinderhändchen aus dem faulen Vorjahrslaube ſtrecken, an unheimliche Märchen erinnernd, von allerlei Volk mit ſonderbarem Geſchmacke beſucht wird.

Es gibt unendlich viel zu ſehen hier an dem Graben. Da iſt ein Traubenkirſchenbuſch, deſſen grüne Wellen jetzt noch in ſanfter Flut hinabfallen, aber im Mai ſchäumen ſie von weißen Blüten und hauchen betäubenden Duft aus. Ein Haſel ſteht da, der im März Gold auf die Efeuwände des Grabens ſtreut, und der ſpäter mit ſeinem Widerbilde das dunkle Waſſer er- leuchtet. Ein junger Ahorn weiſt herrlich geformte Knoſpen vor, Vorwürfe für einen Goldſchmied, und eine ſeltſam verzerrte Hainbuche lehnt ſich über die Flut und freut ſich ihrer lichten Pracht.

Mitte Mai iſt es am allerſchönſten hier. Dann ſtrahlen aus dem Efeu die glühenden Kettenblumen, und die Taubneſſel prahlt neben ihnen. Dann rudern langſam große grüne Fröſche durch das laue Waſſer und überſchreien den Laubfroſch, der im hellen neuen Kleide auf dem größten Blatte der Brombeer- ranke klebt und luſtig ſeinen Maigeſang anſtimmt, während über ihm der Zaunkönig aus voller Bruſt ſein lautes Lied herausſchmettert.

Zu jeder Zeit iſt buntes Leben an dem Graben. Zierliche Bergbachſtelzen ſchwenken ſich über das Waſſer und ſchnappen, an dem Ufer entlang trippelnd, die Mücken fort. Der Eis-

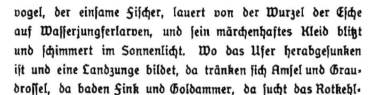

vogel, der einsame Fischer, lauert von der Wurzel der Esche auf Wasserjungferlarven, und sein märchenhaftes Kleid blitzt und schimmert im Sonnenlicht. Wo das Ufer herabgesunken ist und eine Landzunge bildet, da tränken sich Amsel und Graudrossel, da baden Fink und Goldammer, da sucht das Rotkehlchen Gewürm, da nimmt der Star ein Bad.

Auch andere Tiere lassen sich hier sehen. Dicke, große Wühlmäuse huschen scheu aus dem Efeu und plumpsen in das Wasser, eine fuchsrote Ratte hastet über das Laub und sucht nach jungen Vögeln, bis das Raubwiesel ihr mit einem Satze in das Genick springt und sich von ihr unter die Wurzel der Erle schleppen läßt, wo der grimme Kampf ein Ende findet, der Kampf, in dem das Wiesel immer Sieger bleibt. Scheint die Sonne auf das Wasser, dann fahren langbeinige, dünnleibige Wanzen darüber hin in merkwürdigen Zuckungen, oder blitzblanke kleine Käfer drehen sich dort im Kreise, bis ein plumpsender Fall sie verjagt. Die Wasserspitzmaus ist es. Jetzt rennt sie, einem Quecksilberklumpen ähnelnd, auf der Sohle des Grabens entlang, taucht als schwarzer Klumpen empor, zieht lange blitzende Streifen durch das Wasser, huscht auf das Ufer, hastet zwitschernd an ihm entlang und verschwindet plumpsend wieder in dem Wasser.

Wo die Esche ihr krummes Wurzelwerk aus dem Ufer reckt, da gähnt ein schwarzes Loch. Ab und zu verschläft der Iltis den Tag dort, neben sich unglückliche Frösche und Kröten, denen er das Kreuz zerbiß und die sich nun so hinquälen müssen, bis er sie gänzlich tötet und hinunterschlingt. Auch der

Baummarder schleicht nächtlicher Weile hier entlang, die Wald-
maus belauernd und nach der Brut von Rotkehlchen und
Zaunkönig schnüffelnd, und mit viel Geraschel sticht hier der
Zaunigel nach fettem Gewürm.

Unweit des Ufers steht ein Rotbuchenstumpf, breit und
bequem. Wer ihn als Sitz erwählt und sich recht still verhält,
der kann allerlei erspähen, ulkige Lustspiele und ergreifende
Trauerspiele, schlimmer als die der menschlichen Gemeinschaft.
Hinter dem dichten Efeugeflechte zittern der jungen Goldammern
hungrige Stimmchen hervor. Vorsichtig lockend naht sich die
Mutter, ein Räupchen im Schnabel haltend. Da zickzackt ein
Schatten über den Graben, ein Todesschrei erschrillt, fort stiebt
der Sperber mit dem Goldammerweibchen in den Fängen, und
eine Viertelstunde später greift er den Hahn, und die verwaisten
Vögelchen zerfleischt in der Nacht die häßliche Ratte.

Ein Lustspiel ist es aber oder eine Posse, wenn die eifer-
süchtigen Blaumeisenhähne, fest ineinander gekrallt, als bunter
Federball aus dem Haselbusch herabwirbeln und in das Wasser
hineinfallen und, naß und schwarz sich schnell von dannen machend,
verfolgt von dem gellenden Gelächter des Zaunkönigs und dem
spöttischen Gekicher der Bergbachstelze, oder wenn die Waldmaus, in den Genuß eines fetten Käfers vertieft, nicht bemerkt,
daß der dicke Frosch immer näher an ihre zuckende Schwanz-
spitze heranrudert. Auf einmal schnappt er zu, die Maus quietscht
auf und fährt in das Efeulaub, und mit einem dummen Gesicht
glotzt der Frosch hinterdrein und wischt sich ärgerlich das breite
Maul. Auch ist es zum Lachen, wenn die nackte schwarze

Schnecke, nachdem sie die höchste Spitze des Schaftheuhalmes
erklommen hat, darüber noch hinaus will und sich streckt und
reckt und dreht und windet eine halbe Stunde lang, um endlich
ihren Plan aufzugeben und langsam den Rückweg einzuschlagen.

Idylle sind es, wenn Rotbrüstchen, Zaunkönig und Bachstelze ihre flügge Brut in das Leben einführen. Das schnurrt
und burrt durcheinander, schwankt unglücklich auf dünnem Ast,
flattert plump in das Land, klettert mühsam wieder empor
bis schließlich alle Geschwister müde und matt eng aneinander
gepreßt auf einem Aste sitzen wie Kinder auf einer Bank,
dumm und ängstlich hin und her kucken und unaufhörlich nach
Futter piepsen. Wenn aber erst die Wasserspitzmaus ihren
Jungen das Schwimmen und das Tauchen und die Käferjagd
zu Wasser und zu Lande beibringt, dann staunt sogar der
Zaunkönig über das Gewimmel, trotz seiner acht Kinder, die
doch auch allerlei Leben verursachen.

Großen Lärm aber gibt es, fällt es dem Häher ein, sich
hier sehen zu lassen. Und wenn er auch vorgibt, er wolle sich
Würzelchen aus dem Ufer hacken für sein Nest oder einen
Schnabel voll Wasser mitnehmen, man kennt ihn zu gut, den
bunten Heimtücker, und von allen Seiten wirft man ihm
Schimpfworte an den dicken Kopf, bis er wütend abzieht.
Kommt aber das liederliche Kuckucksweibchen angeschlüpft, um
ihr Ei in die Obhut von Bachstelze oder Rotkehlchen zu geben,
dann ist das Gekeife noch ärger, und schließlich setzt es auch
Hiebe, aber alljährlich kommt hinter der Efeuwand ein junger
Gauch hoch, und alles, was von kleinem Vogelvolk am Graben

wohnt, fühlt sich verpflichtet, den Immerhungrig und Nimmer-
satt vollzustopfen.

Im Wasser selbst geht es auch nicht immer friedlich zu,
denn gar streitbare Gesellen, schwer gepanzerte, trefflich ge-
rüstete Stichlinge mit scharlachnem Brustlatz, mutige Gesellen,
herrschen da unten. Wehe der armen Kaulquappe, die sich
vom Strande in das tiefe Wasser wagt: ein Dutzend der Raub-
ritter stoßen darauf zu, zerren das hilflose Tier hin und her
und reißen es in Fetzen. Auch ein armer Regenwurm, der
aus Unvorsichtigkeit in das Wasser gerät, muß unter den
Bissen der winzigen Fische sterben, und wenn er sich noch so
sehr krümmt. Kaulquappe und Wurm rächt dann wieder die
Wasserspitzmaus, die Stichlinge in die Bucht treibend und ihnen
das Genick zerbeißend.

Außer den Stichlingen leben noch andere Fische in dem
Graben, die graue Schmerle, die sich gern in den Blechtöpfen
versteckt, die auf dem Grunde des Grabens rosten, und der
buntgestreifte Schlammpeißger, der sich im modernden Laube
verbirgt. Wer gute Augen hat, findet im Mai an den über-
spülten Steinen auch ein fingerlanges Fischchen hängen, das
Bachneunauge, dessen wurmähnliche Larven im Sande der
Grabensohle eingebohrt leben. Auch eine Quappe oder ein
Gründling verirrt sich wohl aus dem Bache in den Graben.

Stets sind einige Taufrösche dort zu finden, die faul an
dem Ufer sitzen, oder eine Erdkröte, die langsam unter dem
Efeu herkriecht, und auch die flinke Kreuzkröte läßt dort ihr
Geschnarre hören. Früher, als noch nicht jedes Tierchen für

Da draußen vor dem Tore. 4

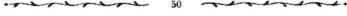

das Aquarium oder Terrarium fortgefangen wurde, kamen auch Waldeidechsen und Blindschleichen hier vor, und sogar die Ringelnatter betrieb dort die Froschjagd mit großem Eifer.

Außer Goldammer, Zaunkönig und Rotkehlchen brüten an dem buschigen Ufer noch die drei kleinen Laubsänger, ferner der Sumpfrohrsänger, und einige Male hat sogar der Eisvogel dort seine Nesthöhle in die Wand getrieben und seine Jungen glücklich hochgebracht. In diesem Jahre baute ein Schwanz= meisenpaar sein kugeliges Nestchen in die Zwille der Birke, die unweit des Grabenbordes steht. Nicht weit davon hat ein Sumpfmeisenpaar ein Nestloch in der Erde gefunden, und weiter zurück brütet die zierliche Blaumeise in einem Spalt derselben Eiche, in deren Wasserreisergewirr eine Schwarzdrossel ihr Nest anlegte. Zehn Schritte weiter hat ein Baumläuferpärchen eine passende Stammritze für sein Nest gefunden, und die Singdrossel beginnt sich in dem dichten Weißdorn einzurichten, in dem im vorigen Jahre der Mönch brütete und unter dem der Hase so gern liegt.

Da hier selten ein Mensch geht, äsen sich die Rehe gern den Graben entlang. Jagt sie ein Hund, so überfließen sie einige Male den Graben, bis der Hund ihre Fährte verliert, und der starke Bock flüchtet sogar in den Graben hinein, watet eine Strecke in dem Wasser entlang und bringt so die Hunde in Verwirrung.

So ist hier immer allerlei Leben vom frühen Morgen an den Tag hindurch, und auch des Nachts lebt und webt es dort. Im Frühling schwirren Eulenschmetterlinge um die Weiden=

schäschen, im Sommer sausen große Schwärmer über die Geiß-
blattblüten und fallen der großen, fuchsroten Flebermaus
zum Opfer, die ab und zu aus den Wipfeln herunterfährt,
denn das Gebiet über dem Graben ist eigentlich das Reich der
Wafferflebermaus, die unablässig dicht über dem Waffer hin-
und herstreicht und die Mücken fortschnappt. Mit Vorliebe
jagen auch Walbkauz und Ohreule hier, denn irgendeine Maus
oder Ratte erwischen sie stets.

Wintertags erscheint von weither auch der Fuchs hier;
aber ehe es dämmerig wird, schnürt er wieder in die großen
Wälder zurück, denn gar zu unheimlich ist es ihm so dicht bei
der Stadt. Ab und zu verspätet er sich aber doch einmal und
versteckt sich in dem Jungsichtenhorste in der Dickung oder
nimmt weiterhin einen alten Kaninchenbau an.

Den Fuchs wird nun nicht so leicht ein Walbwanderer ge-
wahren, es sei denn, er sei schon bei dem ersten Drosselpfiffe
draußen. Das andere Leben ist aber tagtäglich dort zu beobachten für den, der dafür Augen und Ohren hat und der leise
zu gehen versteht hier am Walbgraben.

Es steht die Welt in Blüte

Ein Vers singt in mir den ganzen Tag, ein Vers von
einem Lied, das ich vor mehr als Jahresfrist las.
„Es steht die Welt in Blüte, in Blüte steht dein
Herz." Die Sonne scheint heiß und das Grün kommt hell und
die Vögel singen laut und die Falter fliegen froh und das
schöne Lied ist in meiner Seele, wie Sonnenschein und Knospen=
brechen und Vogelsang und Falterflug. Und es scheint und
sprießt und singt und flattert in mir den ganzen Tag: Es steht
die Welt in Blüte.

Als ich ein Junge war mit blondem Zottelkopf und Armen
und Beinen, die aus der stets zu kurzen Jacke und den ewig
zerrissenen Hosen herauswuchsen, da kannte ich das schöne Lied
nicht, und doch sang es in mir, wenn die Traubenkirsche am
Waldbach ihr grünes Kleid anzog, wenn alle Vögel sangen und
die gelben Schmetterlinge flogen und aus dem braunen Fall=
laube die Frühlingsblumen kamen weiß und gelb und grün
und rot und blau, wie heute: Es steht die Welt in Blüte.

Und dann mußte ich hinaus, ganz allein, in den Buchwald
am See, wo der Frühling einzog mit flatternden Fahnen und

klingendem Spiel. Und wenn dann die Sonne die kalten Buchenstämme warm tönte und alles blitzen und leuchten ließ in meinem Walde, das Alte und das Neue, das Lebendige und das Tote, das junge Grün und das alte Laub, das dürre Gras und das frische Moos, die trockenen Reiser und die saftigen Blätter, dann zog Frühlingstrunkenheit in mein Jungensherz, und mit lachenden Augen sah ich in den lachenden Tag.

Ist sie noch da, die Kinderfreude? Lebt sie noch in dir, die alte Frühlingstrunkenheit? Kannst du noch lachend dem Frühling in die Blauaugen sehn? Der Winter war lang, und die Kälte war hart, und der Wind war rauh und böse. Vielleicht ist zuviel verfroren, ausgewintert ist die Hoffnungssaat, und die Knospen sind tot gemacht von Frostnebel und Rauhreif.

Aber die Sonne ist so herrlich heiß, und in jedem Garten sind bunte Blumen, und ein Schmetterling tanzt über die Straße vor mir her. Gelb sind seine Flügel, goldgelb, und jeder hat einen kleinen roten Punkt.

Grün ist die Saat und hell ist der Weg und blau ist die Luft, alle Lerchen singen auf mich hinab, vom Klosterpark lockt des Grünspechtes Jubelruf, in blauem Duft liegt der Berg, silbern blitzen die Flügel der Windmühle, goldrot sind alle Häuser, jeder Baum rührt seine Knospen, braune Hasen spielen in der grünen Saat, Haubenlerchen jagen sich: Es steht die Welt in Blüte.

Im Klosterpark ist der Frühling Alleinherrscher. Alle Knospen hat er geöffnet, jeden Bodenfleck hat er bunt gestickt, alle Vögel hat er Lieder gelehrt. Das trillert in jedem Strauch,

das flötet von jedem Wipfel, das pfeift aus allen Kronen, das
schmettert in jedem Baum immer dasselbe Lied in hundert
verschiedenen Weisen, laut und leise, keck und schüchtern, zart
und voll.

Am Teich auf dem Hügel wird mir der Tisch gedeckt.
Frühlingsfarben hat mein Mittagbrot. Gelb und weiß wie
Hahnenfuß und Windrosen ist das Spiegelei, wie Traubenkirsch-
blüte die Milch, wie Lärchenspornblumen der Schinken so rot.
Fink und Meise, Drossel und Star, Rotschwanz und Trauer-
fliegenschnäpper machen mir die Tafelmusik, und der Grünspecht
hämmert den Takt. Die Hühner räumen dann ab.

Ich dämmere in den Frühlingsnachmittag hinein. Wie
das alles lebt und webt, das zarte Birkengrün drüben hinter
dem Teich, das weiße Entenvolk im grünen Rasen, das Schwanz-
meisenpaar im Eichengeäst, die dicken, aufbrechenden Kastanien-
knospen, die blitzblanken Starmätze hoch oben in den Wipfeln.
Ein Zittern, ein geheimes Beben liegt in allen Knospen, in
jedem neuen Blättchen, in jeder hellen Blüte, und aus jedem
Vogelliede bebt und zittert die Liebeslust und die Lebensfreude.
Aber aus dem Silberglöckchenliede des Rotkehlchens bebt und
zittert es am innigsten von glücklicher Sehnsucht und sehn-
süchtigem Glück.

Des Hahnes Krähen klingt anders, als wintertags. Jubelnd
wiehert es aus den Ställen, und der Kühe Gebrüll ist weich
und voll. Ein lockendes Flöten schwebt in der Luft; ein dunkler,
silberfleckiger Uferläufer taumelt über die Wiesen; jetzt hat er
das Weibchen gefunden und jagt es neckend hin und her. Dort

unten am Teichbord fallen sie ein, die zierlichen Vögel. Alles
hier ist jung und frisch, neu und schön. Wie Silber blitzt die
Pflugschar, wie Gold das aufgestapelte Brennholz, die jungen
Nesseln strotzen von Frische, und üppiges Grün schmückt das
giftige Schöllkraut am Zaun. Lustig keckert der Laubfrosch
sein Liebeslied, jubelnd schmettert der Fink von Liebe, zärtlich
gurrend umknixt der schwarze Täuber auf dem silbern schimmernden Dache sein weißes Holdchen, immer wieder jauchzt der
Grünspecht, überall brummen stillvergnügt die Hummeln, und
wohin die Augen fallen, ist ein Frühlingswunder, ein gelbgrün
blühender Ahornbusch, ein Veilchen im Gras, ein goldner Stern,
eine weiße, nickende Blume, ein Schmetterling, tiefschwarz und
elfenbeingelb, eine bunte, schimmernde Fliege.

Und ein Duft liegt im Walde, liegt über den Wiesen,
verbindet Himmel und Erde, Rasen und Wasser, Boden und
Tiere, schmilzt die weißen, rotfüßigen Enten und die schwarzen
Krähen und bunten Hühner in das Gras hinein, webt die
Frauen, die den Weg aufharken, in das Bild, löst aller Bäume
Umrisse auf und läßt aller grünenden Kronen Grenzen ver-
schwimmen in der großen, weichen, warmen Frühlingsstimmung,
die über das Ganze fließt.

Und was der Frühling alle Wesen für neue Künste lehrt!
Der Grünfink taumelt wie eine Fledermaus vor seinem Weibchen her, der Star klappt mit den Flügeln und tanzt und
hopst und singt seiner Liebsten alle Lieder vor, die andere
kleine Dichter erfanden, und der bunte Eichelhäher, der selbst
kein Lied dichten kann, nur schwatzen und plappern, auch er

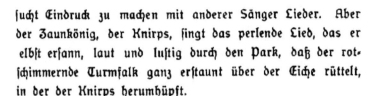

fucht Eindruck zu machen mit anderer Sänger Lieder. Aber
der Zaunkönig, der Knirps, fingt das perlende Lied, das er
elbft erfann, laut und luftig durch den Park, daß der rot=
fchimmernde Turmfalk ganz erftaunt über der Eiche rüttelt,
in der der Knirps herumhüpft.

In der knofpenden Kaftanie lockt fehnfüchtig eine Finken=
henne. Bunt flattert es heran, piept, girrt, und geht dann die
Jagd los durch das Aftwerk der kahlen Eiche. Die Eiche uud die
Kaftanie, das find Gegenfätze. Die eine voll von mächtigen glän=
zenden klebrigen Knofpen, aus denen die jungen Blattfächer
kommen, die andere ohne jede fchwellende Knofpe, fchwarz, hart,
kühl der werbenden Sonne gegenüber. Die Kaftanie ift ein
Südländer, die Eiche ein Niederfachfe. Die fangen nicht fo leicht
Feuer, aber wenn fie brennen, dann geben ihre Flammen
viel Glut.

Über ftaubige Straßen gehe ich zum Walde. Da liege ich
im Moos und ftarre durch die Föhrenkronen in den hellblauen
Himmel. Über mir kreift ein Turmfalkenpaar, ein Kolkraben=
paar fchwebt mit großem Schwunge dahin, der Täuber gurrt,
wirft fich in die Luft und ftiebt flügelklatfchend zu feiner Frau
herab, ein Schwarzfpecht jagt luftig lachend feine Braut, zwei
Zitronenfalter, ein tiefgelber und ein hellgelber, flattern an
mir vorbei.

Ich ftarre in den blauen, von fchwarzen Föhrenkronen
eingerahmten Fleck Himmel. Einfam fteht darin die Mondfichel,
filbern und kalt. Die teilt das Blühen der Welt nicht, die
einfame.

Die Ulenflucht kommt. Das Schummern fällt in den Wald. Rot werden die Föhrenstämme, goldrot, goldrot auch die schwarzen Kronen. Ein Waldkauzpaar schwebt vorüber, ein Nachtschwalbenpaar auch, rufend und pfeifend. Irgendwo flötet die Nachtigall.

Es steht die Welt in Blüte.

Das Moor

Öde heißt man das Moor, und traurig und verlassen. Wer es so schimpft, der kennt es nicht. Niemals sah er es um diese Zeit. Sein feinstes Kleid hat es an, ein sammetbraunes, das mit grüner Seide benäht ist, mit weißem Pelz verbrämt, und goldene Spangen funkeln daran. Im Frühherbst, wenn die Heide blüht, dann gewinnt dem Moore jeder Mensch Geschmack ab, und auch im Spätherbst, wenn das Birkenlaub goldgelb leuchtet, findet man es schön; jetzt fährt man an ihm vorüber.

Wen es aber gelüstet, aus dem Lärm der Stadt herauszukommen und einmal allein zu sein, keine Menschen um sich zu sehen, die überall die Wälder füllen, der muß in das Moor hinauswallen. Eine schön gewellte Straße, von hellgrünen, vollaubigen Birken eingefaßt, führt ihn dorthin. Fruchtbare Felder und helle Wiesen läßt er hinter sich, hinter denen blaue Wälder und die hohen Geestrücken dem Blick Halt bieten, und dann nimmt das Moorland ihn auf mit Birkenbüschen und Wollgrasflocken. Aber es ist nicht mehr das echte, große, unzerstörte Moor, das es vor zehn Jahren war; die Bodenbebauung riß große Stücke heraus, Wiesen entstanden in ihm, Obstgärten erwuchsen dort, in denen hübsche grüne Häuschen liegen; erst eine halbe Stunde weiter, rechts von der Straße, beginnt das weite, breite Moor.

Zwischen dichten Birkenbüschen führt der Weg. Erst ist er noch graswüchsig, Faulbaum, Weiden und blühende Eber= eschen rahmen ihn ein, bleiben dann zurück, und die Birke allein begleitet ihn. Das grüne Gras auf dem Wege ver= schwindet, kahl wird der Weg. An den Rändern liegen die alten, gelben Blätter des Pfeifenhalmes, an deren krausem Gewirr sich erst jetzt die frischen Blättchen schieben. Merk= würdig gekrümmte Zweige und Wurzeln von Helde und Moor= beere, lauernden Schlangen ähnlich, fahlbraun oder silbergrau, bilden am Wegrande wirre Knäuel.

Es ist eine seltsame Welt für sich, dieses Moor, eine Welt, die so gar nicht in unsere Zeit paßt. Willst du Ähnliches finden, so steige auf den Brocken, auf die Schneekoppel; in der Tatra, in den Alpen findest du dieselbe Pflanzenwelt, und im hohen Norden. Eine Moorfahrt ist eine Nordlandsfahrt. Nordisch ist alles, was du um dich hier siehst, die Pflanzen, die Tiere, das ganze Bild. Lapplands Moore, die sibirischen Tundren sind kaum anders. Auch hier könnte das Ren leben, auch hier das Moorhuhn fortkommen, auch hier könnten Seidenschwanz und Wachholderdrossel brüten.

Überhöre den Pfiff der Ziegelei, das ferne Gedonner des Eisenbahnzuges, und du bist in der Tundra. Dort wachsen Krüppelbirken wie hier, dort bildet die Moorbeere ebenso dichte Horste, dort kriecht die Moosbeere über die alten Torfmoos= polster, dort füllt das Renntiermoos die Zwischenräume zwischen

den Heidekrautbüschen aus, dort bilden gelbgrüne Torfmoos-
polster feuchte Kissen. Dort wird auch, wie hier, jetzt überall
das Wollgras seine weißen Seidenbüschel erheben, werden die
hellgrünen und rosenroten Glöckchen der Moorbeere von un-
zähligen Bienen und Fliegen umsummt sein, werden grüne
Raubkäfer bei jedem Schritt aufblitzen, rote Wasserjungfern
knisternd von Busch zu Busch schießen. Auch dort wird, wie
hier, von der Spitze eines Weidenbusches der schwarzköpfige
Rohrammerhahn sein kleines Lied zirpen, wird der Pieper
singend emporsteigen und trillernd niederwärts schweben, und
rund umher wird auch da der Kuckuck läuten.

Es ist heiß, und hier auf dem alten Stumpf einer Eiche,
die das Moor einst verschluckte, sitzt es sich gut am Rande des
tiefen Torfstiches. Sein tiefbraunes, klares Wasser ist leer von
allem Leben; nur einige dünne, langbeinige Wanzen fahren
über seinen Spiegel hin und her; aber keine Schnecke, kein
Wasserkäfer, kein Fisch, kein Molch, kein Frosch lebt dort.
Alles, was dort unten wächst, ist ungenießbar; die algen-
ähnlichen, bleichgrünen, schleimigen Zöpfe des Torfmooses, die
starren Binsen auf der verrotteten Zwischenwand, das harte
Wollgras auf dem Torfinselchen mag kein Tier. Stumm und
tot ist dieses Loch. Selbst die Libelle jagt hier nicht, weil sie
keine Beute findet; sie schießt darüber hinweg und jagt
dorthin, wo Froschgequak ertönt.

Dort stand der Torf nicht so hoch, dort gruben die Bauern
bis auf die Lehmschicht. Hier ist das Wasser nicht so herb,
hier faßte das Kolbenrohr Fuß, hier siedelte sich Froschbiß an

und Wasserschlauch, süßes Schilf wächst hier und allerlei schmack=
haftes Kraut. Und darum ist hier auch Leben und Weben
mancherlei Art. Große grüne Frösche liegen faul, alle viere
von sich gestreckt, auf dem Wasser. Die Männchen, im hell=
gelbgrün schimmernden Hochzeitskleid, lassen die weißen Schall=
blasen aus den Mundwinkeln quellen und singen ihre Liebes=
lieder. Langsam rudern sie zu den Weibchen, schauen ihnen
zärtlich in die Augen, reiben ihre Nasen an ihren und quarren
immer zärtlicher; mit neckischem Sprung verschwinden die Schönen
dort, wo die goldgelben, rotgetüpfelten Blüten des Wasser=
schlauches sich erheben.

Es ist ein seltsames Pflänzchen, dieser Wasserschlauch.
Sein wirres, zerfasertes Kraut ist mit einer Unmenge Bläs=
chen bedeckt, deren jedes eine winzige Fischreuse darstellt.
Was dort hinein gerät, das Würmchen, die Larve, der
eben ausgeschlüpfte Molch, das ganz junge Fischchen oder
ein kleines Krebstier, es ist verloren; die nach innen ge=
bogenen steifen Haare der Reuse lassen es nicht eher los,
als bis es verdaut ist.

Ein Räuber ist diese Pflanze, gerade so einer wie der hübsche
Sonnentau, der dort seine roten, wie mit Diamanten besetzten
Rosetten über dem grünen Moose erhebt. An seinen glitzernden
Drüsenhaaren bleibt allerlei winziges Schwirrvolk hängen, die
Haare krümmen sich, überziehen es mit dem zähen Schleim,
und das Blatt saugt ihre Weichteile auf. Das Moorwasser und
die Moorerde sind arm an Nahrung, darum müssen sich die
beiden Kräutchen helfen, so gut es geht.

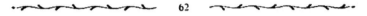

Nur was sehr genügsam ist, kann hier fortkommen, wie
die Heide, deren alter Blüten graue Perlen dem Moore seinen
Haupiton geben, von dem sich hier ein gelbblühender Stachel-
ginsterbüschel, dort die rosigen Glöckchen der Rosmarinheide
leuchtend abheben. Wo aber die Bauern Sand auf den
Damm fuhren, um ihn zu festigen, wo Pferdemist liegen
blieb, da siedelt sich gleich allerlei anderes Kraut an, der
Heidecker mit seinen goldenen Blüten, eine Miere, ein
Knöterich, und sogar ein Wegerich folgt dem Menschen
hier. Weißenmannesspur nennen ihn die Indianer Nord-
amerikas und hassen ihn, denn er zeigt ihnen überall der
Bleichgesichter Vordringen.

Der Abend naht heran, vielstimmiger wird das Geläute
der Kuckucke, die Turteltauben schnurren im Birkenwald, die
Mücken erheben sich aus dem Heidekraut. Wer die nicht vertragen kann, der muß jetzt gehen. Aber die schönste Zeit für
den, der gegen sie abgehärtet ist, beginnt erst. Aus den Wiesen
steigen die Nebel und ziehen durch die Birkenbüsche. Im hohen
Moor faucht und trommelt noch ein Birkhahn, die Nachtschwalbe
spult und spinnt, jauchzt gellend und schlägt die Flügel zusammen, im Schilf am Grabenrand vor den Wiesen schwirrt
der Heuschreckensänger, mit dumpfem Heulen schwebt der Kauz
über den Weg, und wenn das Abendrot hinter dem fernen
Wald erloschen ist, meckern die Bekassinen und schnattern die
Enten rings umher, bis auch sie schweigen und nur das Singen
der Mücken und das ferne Quarren der Frösche die große
heimliche Ruhe des Moores noch mehr verstärkt.

Wer dann durch das Moor geht, lernt es erst recht kennen in seiner erhabenen Ruhe, und fährt er in der Kühle zurück und kommt in die dumpfe, laute Stadt hinein, dann weiß er, wo er sich ausruhen kann, wird ihm des städtischen Lebens bunte Hast einmal zu viel.

Er geht in das Moor.

Auf der Kuppe

Immer wird es reichlich spät, ehe der Frühling sich des Brockens annehmen kann; in diesem Jahre kam er erst ganz spät dazu. Zu viel Arbeit hatte ihm unten im Lande der Winter gemacht. So wurde es spät im Mai, ehe der Frühling dazu kam, an den hohen Berg im Harz zu denken, und als er mit der frohen Botschaft dort anlangte, fand er wenig Gehör. Die Heidelbeersträucher wandten ein, daß es noch Nacht für Nacht friere, die Fichten meinten, es läge noch zu viel Schnee, das Wollgras fand das Tauwasser zu eisig, und die weiße Kuhschelle erklärte, ehe nicht der Hexensand um ihre Wurzeln auch des Nachts locker bleibe, denke sie nicht daran, zu blühen.

Vergebens redete der Frühling der Eberesche vor, daß ihre Geschwister im Tale schon im vollen Laube ständen; sie rührte sich nicht. Er suchte dem Ampfer und dem Wohlverleih klarzumachen, daß es nun Zeit sei, aufzuwachen; sie kümmerten sich nicht um ihn. Er sprach der Krähenbeere und der Goldrute zu, aber er hatte keinen Erfolg, und wenn er auch der Krüppelweide und der Zwergbirke die besten guten Worte gab, es war alles in den Wind gesprochen. Da stieg er zu Tale nd holte sich Hilfe. Aus dem Brockenfelde brachte er den

Birkhahn mit, und als der drei Morgen hintereinander im Brockenmoore die Lärmtrommel geschlagen hatte, da hing der Weidenbusch Gold an seine Zweige. Dann ging der Frühling zum Scharfensteine und bat einige Finken, ihn zu begleiten, und nahm vom Oberteiche einige Braunellen mit, und die schlugen und zwitscherten so kräftig, daß eine Wollgrasblüte neugierig ihr graues Köpfchen heraussteckte und an einem Heidelbeerbusche verwunderte grüne Augen auftauchten.

Aber das genügte dem Frühling noch nicht, und so wanderte er zum Eckerloche und bat den Steinschmätzer herauf und vom Torfhaus das Laubvögelchen, und da der eine so lustig sang und krähte und das andere so süß flötete und lockte, so ermunterten sich Ampfer und Goldrute, Habichskraut und Lattich, Simse und Binse, durchbohrten das fahle Gras mit scharfen Blattspitzen, trieben üppiges Grün aus nassem Gras und spreizten sich über den braunen Flechten und dem gelben Torfmoose. Eines Tages, als ein Bussard auf Bitten des Frühlings die Langschläfer der Brockenkuppe mit gellendem Katzenschrei höhnte, und eine Krähe sich bereit finden ließ, sie in rauher Weise zu verspotten, da schoben auch die Kuhschellen ihre blaugefrorenen Knospen zwischen dem moosigen Granitgerölle hervor, aber nur ein ganz klein wenig, daß der kalte Nachtwind sie nicht fassen konnte.

Schließlich wurde es dem Frühling denn doch zu langweilig, und er pilgerte zornentbrannt nach Wernigerode und Ilfenburg, Elbingerode und Harzburg, sprach lang und breit mit den Mauerseglern und erzählte ihnen, da oben auf der

Da draußen vor dem Tore.   5

Brockenkuppe flögen sehr viele und ganz besonders fette und leckere Käferchen und Fliegen. Die schwarzen Schreihälse glaubten es ihm, sie erhoben ihr Gefieder, ließen den Buchenwald und die Schlüsselblumen hinter sich, sausten über schwarze Fichten=wälder und graue Steinhalden, und als der Frühling noch müh=sam im nassen, braunen Moore bergan stieg, da lärmten die düsteren Gesellen schon um das Brockenhaus und schimpften fürchterlich, denn oben in der Luft flog nichts, und was dicht über den Steinen schwirrte, das lohnte die Reise nicht, und husch waren sie wieder da, wo sie hergekommen waren. Der Frühling aber lachte sich ins Fäustchen; er hatte seinen Zweck erreicht. Die blauen Knospen zwischen den grauen Steinen hatten das Gezeter der Turmschwalben vernommen, und was alles Reden des Frühlings nicht fertig gebracht hatte, das gelang den Seglern im Nu. Wenn der Segler auf der Brocken=kuppe jagt, dann ist es Zeit, aufzuwachen. Das weiß man dort oben.

So wurde es Ende Mai, ehe am Brocken der Frühling sein Recht bekam. Die Buchenwälder unten im Harz standen schon im vollen Laube und hatten die ersten Frühlingsblumen schon vergessen; das Windröschen war von der Sternmiere, das Leberblümchen vom Günsel, das Milzkraut von der Waldnessel abgelöst. Auf den Wiesen drängten sich Schaumkraut und Knabenwurz, die Wolfsmilch vergoldete die Raine, die Obst=bäume setzten schon Früchte an, und in den Gärten stritten sich Flieder und Goldregen um den Schönheitspreis, da fütterten die Spatzen schon über allen Dachrinnen ihre Brut, da tolpatschten

ſchon flügge Amſeln in den Gärten, und da erſt wurde auf dem Brocken der Frühling Herr. Aber noch längſt nicht überall, lange nicht am ganzen Brocken ſiegte im Mai der Frühling. Und es war eigentlich erſt der Dorfrühling, der ſich dort, wo die Sonne hinkam, neben dem Winter behauptete, der von den ſchattigen Stellen nicht weichen wollte. In den kalten Trümmerhalden und in den eiſigen Schluchten iſt es noch immer Winter, da blühen die Winter= mooſe, da ſpringt der Gletſchergaſt umher, hüpft der Schneefloh, liegen Larven und Raupen und Puppen und Käfer und Schnecken ſteif und ſtarr unter Steinen vergraben, rührt ſich noch keine Krüppelſichte, regt ſich das zwergige Heidelbeergeſtrüpp immer noch nicht, da iſt es noch voller Winter. Hart daneben aber iſt es Dorfrühling und noch ein wenig weiter voller Frühling, und je nachdem es den kundigen Brockenfahrer ge= lüſtet, kann er bis ſpät in den Juni hinein den Februar oder den März, den April oder den Mai hier wiederfinden und genießen, mit den Füßen im Nachwinter ſtehend, ſich am Dor= frühling freuen und vom Frühling in den Winter hineinſehen.

Hier, wo die Sonne die Talflanke unter ihre Strahlen nehmen kann, iſt lachendes Leben. Don den Sichten hängen weich und zart die jungen Triebe, das luſtige Laub der Heidel= beere iſt mit leuchtenden Korallen überſtreut, kräftig ſtreben Fingerhut und Tollkirſche empor, hinter den braunen Wurſ= böden der Sichten ſpreizen ſich die jungen Wedel der Farne, und neben ihnen zittern ſchimmernde Simſen, von den Birken rieſelt das neue Laub, die grauen Steine umflicht das winzige Labkraut, jeder Waſſerfaden füllt ſich mit ſchwellenden Moos-

5*

polſtern. Sobald die Sonne da iſt, ſingt und klingt das ganze Tal. Von der Spitze der Wetterfichte flötet die Miſteldroſſel, und die Singdroſſel ſucht ſie zu übertönen. Rundherum erſchallt das ſelbſtbewußte Geſchmetter der Finken, und das ſchüchterne Gepiepſe der Goldhähnchen zittert überall. Am Bachdurchlaſſe wippt lockend und zwitſchernd die Bergbachſtelze über das naſſe Gerölle, und vom giſchtumſpülten Blocke im Bache gibt die Waſſeramſel ihr Liedchen zum beſten, während aus dem Ge· dämmer der Fichten der Minneſang der Tannenmeiſe hervor· klingt und vom Windbruche der Braunelle und des Zaunkönigs Weiſen herüberſchallen, bis des Baumpiepers heller Schlag alle anderen Stimmen zurückdrängt.

Dort aber, wo der Sonne der Weg zwiſchen den Fichten zu ſchmal iſt, da iſt es kalt und tot und ſtill. Da zeigen die Tannen noch keinen friſchen Trieb, dort ſind die Heidelbeer· zweige noch dunkel und dünn, der Sauerklee hat das Blühen noch nicht gelernt und die Farne ſchieben kaum einige gold· braune Knöpfe aus dem Mooſe, denn rundherum lagert zwiſchen den brummigen Felsblöcken der böſe Schnee und läßt ſein bitterkaltes Waſſer durch das Geröll ſickern, und ſtrenger Schatten wehrt aller Lebensluſt. Sobald aber der braune, naſſe, weiche Weg das düſtere Tannicht verläßt und gelb und trocken und feſt wird, iſt das luſtige Leben wieder da. Es brummt und ſummt über dem leuchtend grünen Kiſſen der Steinklumpen, es ſchwirrt und flirrt um die jungen Tannentriebe, ſtahlfarbene und bronzeblanke Schnellkäfer ſchweben bedachtſam dahin, ſilberne Motten blitzen einher, in dem Waſſerloche wärmt ſich der faule

Bergmolch, rudern Schwimmkäfer, wimmeln Kaulquappen, und auf dem warmen Wegebord sonnt sich die schlanke Eidechse.

Und wieder verliert sich der Weg im kalten Dunkel des Tanns, und das junge Grün und das frohe Leben bleibt zurück. Unheimlich starren graue Blöcke aus gespenstigen Schneeflecken, unbarmherzig kalte Rinnsale schlüpfen über die verängstigten Farnstöcke, blutrote Wasseradern schleichen durch das schwarze Moos. Aber schon lacht ein Schneefleck hell auf im Sonnen-licht, ein Meisenruf zerbricht die beklemmende Stille, und des Kuckucks lautes Geläute verkündet, daß das Sonnenreich wieder beginnt. An bunte Steinblöcke geschmiegt lächeln rosige Wind-röschen zu den blühenden Heidelbeerbüschen auf den Felsen herauf, saftiges Milzkraut sperrt des Wasserfadens Lauf, lang-beinige, dürre Wanzen huschen über den Spiegel des Wasser-loches und werfen unsinnige Schatten auf den klaren Kiesgrund, lustig kluckt und schluckt ein heimliches Wässerlein, alle Moos-polster haben einen schimmernden Strahlenkranz, und jeder Fels macht sein freundliches Gesicht.

Im Gestrüpp raschelt es; es stiebt der gelbe Granitgrus. Breit, faul und behäbig nimmt der Urhahn dort sein Sandbad, ab und zu mit dem gewaltigen Hakenschnabel eine Ameise oder einen Käfer aufnehmend oder ein Blättchen rupfend. Dann leuchtet sein Hals wie ein Kunstwerk aus edelster Bronze. Jetzt reckt er den schweren Kopf. Das leise Brechen, das hinter ihm erklang, weckte ihn aus seiner Behaglichkeit. Die rote Maus, die an ihm vorüberschlüpft, die Eidechse, die über den Schotter zickzackt, sind nicht so laut. Er richtet sich auf, macht einen

langen Hals und poltert von dannen, daß der gelbe Grus aus
seinem Gefieder stäubt. Aus der Dickung schiebt sich ein langer,
schmaler Kopf, läßt lange Lauscher spielen, zieht einen langen
Hals nach und einen langen Rücken, und groß und grau steht
ein Stück Wild in der lachenden Sonne und schiebt sich langsam
zwischen den Felsblöcken weiter, bis es in den Tannen unter-
taucht, wo kein Weg und kein Steg störendes Menschenvolk herbei-
führt. Jetzt läßt es sich hier schon wieder leben. Im Winter
war es nur kümmerlich. Jeden Tag dasselbe: Tannenzweig-
spitzen und Heidelbeerkraut, das recht mühsam aus dem tiefen
Schnee geschlagen werden mußte. Ein Glück, daß der Förster
fütterte, sonst wäre es ganz schlimm geworden. So denkt das
alte Stück, und so denkt auch das Reh, das in dem Bruche
zwischen den Steinblöcken und Tannengerippen umhertritt und
sich an dem jungen Grün äst. Und auch der alte Hase denkt
so, der der Länge nach in dem trockenen Hexensande liegt und
sich die liebe Sonne auf den Balg scheinen läßt, und der Fuchs
nicht minder, der sich gar nicht weit von dem Hasen auf einer
warmen Steinplatte rekelt und die Birkhenne verdaut, die er
sich heute früh zu Gemüte führte. Im Winter hatte er sich
mit Mäusen begnügen müssen, denn mit Fallwild steht es hier
schlecht; die Grünröcke füttern zu gut. Aber nun gibt es bald
dies, bald das, und das Leben läßt sich schon wieder ertragen,
zumal der Abfallplatz hinter dem Brockenhause jetzt ganz an-
genehme Abwechslung in die Kost bringt, abgesehen von den
Wursthäuten und Käserinden, die man heute wieder an allen
Wegen findet. Es läßt sich wirklich jetzt schon ganz gut hier leben.

Das meinen die Finken auch, die in den Zwergwäldern mit dem
Laubvögelchen und der Braunelle um die Wette singen, und
die beiden Pieperarten, die sich oben auf der Kuppe und an
ihren Geröllabhängen mit Flugspiel und Lied vergnügen, und
der Steinschmätzer, der über dem Alpengarten herumflattert
und seine Schalksnarrweise ertönen läßt, und der Kuckuck, der
hier die Pieper mit seinen Eiern beglückt. Es kriecht und
krabbelt allerlei Kerbtierzeug zwischen dem Grase, und es surrt
und burrt vielerlei Volk, und seitdem sich die Nessel an den
Schuttplätzen ansiedelte, fliegt sogar ab und zu ein bunter
Falter hier. Auch der Segler kommt Tag für Tag herauf und
erschreckt die Menschen, die vom Turm aus die Städte und
Dörfer zählen, mit seinem schallenden Fittigschlage, und die
weiße Brockenblume blüht zwischen allen grauen Steinen.

Die wenigsten Menschen aber, die die Bahn hier herauf-
führt, und die bis zum nächsten Zuge hier verweilen oder die
Nacht über, um die Sonne aufgehen zu sehen, lernen den
Brocken und seinen Frühling so recht kennen. Kaum einer
klettert in eins der kalten Löcher, wo der Schnee noch hart
und fest liegt, und wo sich zwischen dem wilden Felsengepolter
noch keine Spur eines neuen Pflanzenlebens zeigt, während
dreißig Schritte davon, unterhalb des toten Zwergwäldchens,
das seine vom Rauhreife zerbissenen, vom Schnee entkleideten,
vom Tauwasser zerbeugten silbergrauen Stämmchen anklagend
emporreckt, die Heidelbeeren abgeblüht sind und die Eberesche
ihre Silberknospen aufgrünen ließ, das Wollgras sich eifrig be-
tätigt, und die Farne stolz in Erscheinung treten, auch an ge-

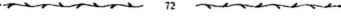
mütlich brummenden Hummeln, giftig summenden Wespen, blitzen-
den Käfern und schimmernden Motten kein Mangel ist, und sogar
eine Schnecke ihr braunes Häuschen über den Stein schleppt.

So viel Leben ist jetzt dort oben, daß, sogar eine Krähe
dort einmal Rast macht, und auch der Strauchdieb von Sperber
läßt sich mal zu einem Abstecher über die Kuppe verlocken und
streicht mit einem bunten Finken in den Fängen talabwärts
seinem Horste zu, und die roten Kreuzschnäbel lassen sich in den
Krüppelwäldchen an den Abhängen der Kuppe mit ihrer flüggen
Brut auch bisweilen sehen, reisen aber bald wieder ab, wie
denn auch das Rotwild, wenn es nächtlicherweile über die
Kuppe zieht, weil da allerhand Kraut gedeiht, das weiter
unten nicht vorkommt, vor Tau und Tag wieder in die
Dickungen unterhalb der Kuppe zurücktritt.

Leicht hat es aber das Leben nicht, sich am Brockenkopfe
zu behaupten; allzu kalt sind die Nächte, und zu oft geht da
ein messerscharfer Bitterwind. Wenn der Himmel grau ist und
die Luft kalt weht, dann decken die Brockenblumen die goldenen Perlen ihrer Kelche fest zu und drücken sich fest an den
Boden, die Käfer und Motten, Fliegen und Spinnen verschwinden unter den Steinen, Pieper und Steinschmätzer rennen stumm
durch das Gesträpp, der Fink ruft trübselig, und die Braunelle
läßt sich nicht vernehmen, und tot und öde, wie im Nachwinter, ist es um das Brockenhaus.

Fährt aber der Wind mit den Wolken zu Tale, bekommt
die Sonne wieder Vorhand, dann lachen überall die weißen
Blumen, dann ist der Frühling wieder da auf der Kuppe.

Libellen

                                                  •

Grün sind die Wälder, die Wiesen sind bunt, laut ist das Gebüsch, und die Luft lebt von kleinem Getier. Und doch fehlte noch etwas in dem bunten Bilde, ein silbernes Blitzen, ein goldenes Funkeln, ein weiches Knistern, ein hartes Rascheln.

Kein Mensch vermißte es, und nun es da ist, um alle Gräben flirrt, an allen Teichen schwirrt, die Wiese belebt und die Heide erfüllt, sieht jedweder darüber hinweg.

Die erste Blume, den ersten Falter begrüßt der Mensch mit frohen Blicken; andächtig stimmt ihn das erste Lerchen-lied, und sogar das Erscheinen des Maikäfers ist ihm eine Freude; aber die Wasserjungfern, deren funkelnde Leiber und schillernde Flügel soviel Leben in die Landschaft bringen, die sieht er kaum, und sieht er sie, so bleiben seine Augen kalt, und sein Herz erwärmt sich nicht.

Aber wären sie nicht da, so wäre der Sommer nicht so lustig; verpfuscht wäre er und mißlungen, fehlten ihm die schimmernden, flimmernden Schillebolde, deren Leiber wie aus Edelerz gebildet sind, und deren Flügel aussehn, als beständen sie aus Tautropfen und Sonnenschein, deren Pracht herrlicher ist als die der schönsten Falter, und deren Flug stolzer ist als

der der Schwalben. Zu fein sind sie für der meisten Menschen
plumpe Sinne, zu schnell für ihre langsamen Augen, die
wunderbaren Sonnenscheinflieger.

Denn die Sonne ist ihr Gestirn; ohne sie leben sie nicht.
Je heißer sie scheint, desto besser geht es ihnen. Dann fahren
sie hin und her und morden, was ihre Flugbahn kreuzt und
schwächer ist als sie, Mücke und Fliege, Käfer und Schmetterling,
streiten, mit den Köpfen gegeneinander anrennend, um die
Weibchen, bis sie sich eins erkämpfen und, zu seltsamem Schnörkel
mit ihm verschlungen, ihre wilde Fahrt fortsetzen. Sobald sich
aber die Sonne hinter den Wolken versteckt, der Himmel grau
und die Luft kühl wird, verlieren sie allen Mut und jede
Kraft; matt sinken sie hinab, klammern sich an Halmen und
Stengeln fest, unfähig, zu rauben, nicht imstande, sich zu freun.
Doch wenn Sonnenlicht und Sonnenwärme ihnen neues Leben
schenken, dann tauchen sie wieder auf, um die Luft mit Silber-
geflitter und Seidengeknitter zu erfüllen, unbeachtet von der
Menge, aber doch von heimlicher Wirkung auf Auge und Herz
des Menschen.

Der sieht sie nur, wenn sie ihn dazu zwingen, wenn sie
sich zu Tausenden und Hunderttausenden zusammenrotten, so
daß die blödesten Augen danach blicken müssen. Wohin sie sich
auch richten, Libellen und nichts als Libellen; an allen Zäunen
und Hecken, an allen Bäumen und Büschen, an allen Mauern
und Wänden haften sie, vom ersten Fluge ermattet, und die
Luft ist erfüllt von ihnen; in ein und derselben Richtung, mit
seltsam stetigem Fluge, gänzlich verschieden von den jähen,

haftigen Bewegungen, die fie fonft zeigen, fahren fie dahin, hier eine, da drei, dort wieder welche, und immer neue, einzelne kleine Trupps, dichte Schwärme, eine unendliche unregelmäßige Heerfchar von unzählbar vielen Stücken.

Woher kommen fie? Vielleicht aus dem meilenweit entfernten See oder aus dem noch entfernteren Fluffe. Dort haben fie über ein Jahr als fonderbare, gefpenftige, breitbäuchige, dickköpfige, glotzäugige, dünnbeinige, fchlammfarbige Larven gelebt; haben ihre Unterkiefer mit der furchtbaren Greifzange vorangefchnellt, anfangs, um winzige Krebstiere von Punktgröße zu fangen, dann, als fie nach jeder Häutung wuchfen, um fich an Frofchlarven, Schnecken, Würmern und Fifchbrut langfam und bedächtig heranzupürfchen oder, kopfüber an einem Rohrhalme hängend, fie durch die Anstandsjagd zu erbeuten. Den Winter verbrachten fie faft ohne bewußtes Leben, halbftarr am Boden liegend; im Frühling warfen fie das Larvenkleid ab und nahmen Nymphenform an, und fchließlich, als der Mai eine Hitzwelle nach der anderen über das Land fluten ließ, verließen fämtliche Nymphen derfelben Art und Altersgruppe an ein und demfelben Tage das Waffer, krochen an Schilf, Rohr und Uferfteinen empor, die Hülle zerbarft, und aus den unheimlichen Gefchöpfen des Waffers wurden die reizenden Luftwefen.

Aber wohin wandern fie, und aus welchem Grunde? Wir wiffen es nicht. In der Richtung, die der Zug einhält, liegt auf viele Meilen hin kein See, kein Strom, die ihnen dazu dienen könnten, ihre Eier abzulegen. Und warum wandern fie nicht Jahr für Jahr, fondern nur in großen Abftänden? Wir haben keine Antwort auf diefe Frage. Und weshalb wandern bei uns nur zwei Arten, der Breitbauch und der Vierfleck, aber keine der vielen anderen, ebenfo häufigen Arten? Wir finden keine Erklärung dafür. Wir find fehr auf- geklärt geworden heute; wir glauben nicht mehr, daß, wenn Schillebolde und Weißlinge in unzählbaren Scharen reifen, oder wenn Seidenfchwänze und andere fremde Vögel fich fehen laffen, oder wenn ein Schwanzftern am Himmel fteht, daß das Zeichen feien, die der Himmel uns gibt, auf daß wir uns auf Krieg, Peft und Hungersnot vorbereiten follen. Darum find wir aber doch nicht viel klüger als unfere Urahnen und haben für Vor- gänge, die wir Tag für Tag um uns fehen, keine Deutung, denn auf der Schule lernen wir wohl, wie das Okapi lebt und was ein Kiwi ift, von den Libellen aber, die Tag für Tag unfere Blicke kreuzen, lehrt man uns faft nichts.

Schmetterlinge und Käfer, allbekannte Tiere, fammeln wir, Molche und Laubfröfche, nicht minder uns vertraut, halten wir in Aquarien und Terrarien; wem aber fällt es ein, fich über die vielfachen Formen der Wafferjungfern zu unterrichten, von der gewaltigen Edellibelle bis zur ftecknadelfeinen Schmaljungfer, und wen gelüftet es, ihre Larven zu halten und zu beobachten? Kaum, daß wir an der Schleufe ftehn bleiben und dem Hochzeits- fluge der prachtvollen, tiefdunkelgrün, prächtig blau und vor- nehm braun gefärbten Seejungfern vor der Schilfwand zufchauen, wahrlich ein Bild, daß jedes Menfchen Augen freuen muß. Achtlos gehn wir vorüber, blißt die ganze Weißdornhecke von

den Flügelchen der himmelblau, blutrot und grasgrün gefärbten Schlankjungfern, und wir denken nicht daran, stehn zu bleiben, jagt die herrliche Waldlibelle so dicht an uns vorüber, daß wir das köstliche Blau ihrer mächtigen Augen, die edle Färbung ihres schlanken Leibes und den feinen Goldglanz ihrer Schwingen genau zu erkennen vermögen.

Gerade der Edellibelle zuzusehn, lohnt sich. Ihr Flug allein ist der Aufmerksamkeit wert. Er ist so sicher, so stetig, so zielbewußt wie der des Falken, so schnell wie der der Schwalbe, und doch ohne Hast und Unruhe; Schnelligkeit und Ruhe sind in ihm vereint. Es ist ein rasendes Gleiten, ein jähes Schweben, eine Gelassenheit bei aller Geschwindigkeit, herrlich anzusehn. Wie ein himmelblauer Pfeil durchschneidet sie die von allerlei Kleingetier durchblitzte Luft auf der Jagd nach Beute. Ein Zufahren, und der weiße Falter ist gepackt; im Fluge verzehrt sie ihn und streut seine lichten Schwingen in das dunkle Moos. Hell leuchtet sie dort auf, wo die Sonne den Weg bescheint, um gleich darauf im tiefen Schatten zu verschwinden. Denn sie scheut den Schatten keineswegs, wie die anderen Jungfern; sie ist so stark, daß sie auch ohne Sonnenlicht auskommen kann, und eine Edellibelle sogar, die seltsame, eulenäugige Abendjungfer, verschläft den Tag über im Blätterschatten und fliegt erst bei Sonnenuntergang aus, und erst, wenn das Tageslicht gänzlich geschwunden ist, kehrt sie in ihr Versteck zurück, um es wieder zu verlassen, wenn die Sonne abermals nahen will. Sobald ihr voller Schein aber da ist, verschwindet die Abendlibelle wieder und macht den Tagjungfern Platz, den großen und

kleinen, breiten und schmalen, denen, deren Leib wie grünes
oder rotes Erz aussieht, oder die den Eindruck machen, als
seien sie mit hellblauem Mehl bestäubt. Das schwirrt und flirrt
laut und leise, ruschelt und raschelt, fährt jäh dahin, flattert
langsam umher, blitzt und blinkt und gleißt und glimmert;
eine ist immer noch schöner als die andere.

Aber die allerschönste, das ist die Libellenkönigin. Größer
als die anderen Edellibellen ist sie, noch viel vornehmer gefärbt und stolzer als alle andern in ihrem Fluge. Wo es wild
und lustig hergeht, da wohnt sie nicht. Der stille, einsame,
verborgene Waldsee ist ihr Reich; dort herrscht sie unumschränkt.
Sie ist kühn und mutig; naht sich ein Reh dem Ufer, oder gar
ein Mensch, sofort ist sie da, betrachtet den Eindringling, und
im nächsten Augenblicke jagt sie schon wieder dort, wo die
Mummeln ihre weißen Blüten entfalten, oder da, wo der
Pfingstvogel sein Nest gebaut hat. Bald hier, bald dort leuchtet
ihr königsblauer Leib auf; soeben schimmerten ihre goldenen
Flügel noch an der Krone der Eiche vorüber, und jetzt blitzen
sie schon über der rosenroten Dolde der Blumenbinse und gleich
darauf über den weißen Nixenblumen. Jetzt jagt sie in hef-
tigem Ansturme ein fremdes Männchen ihrer Art in die Flucht,
und nun hat sie eine fette Schlammfliege gepackt, die sie eben
verzehren will, als sie ein Weibchen erspäht; die Beute zwischen
den Zangen haltend, jagt sie hinter ihm her, treibt es über
die Binsenhalme und an den Schwertlilien vorüber, in den
dunkeln Wald hinein und auf das blanke Wasser hinaus, um
dann in rastlosem Fluge weiterhin ihr Gejaid fortzusetzen.

Wie der stille Waldsee seine eigene Libellenart hat und
die kühle Schneise, so leben am Seeufer andere Arten als bei
der Mergelgrube. Das Bergland besitzt seine besonderen Formen und Moor und Heide desgleichen, während andere am
liebsten im grünen Wiesenlande jagen oder über den gelben
Getreidefeldern, überall, wo sie sich zeigen, der Landschaft einen
Zug von Lebensfreude und Sorglosigkeit verleihend. Aber das
sieht nur so aus, denn es sind grimme Mörder, die zierlichen
Geschöpfe. Wie die zierlichen Schmaljungfern winzige Fliegen
und Blattläuse von den Blättern pflücken, so erhaschen die
größeren Arten alles das, was sich in der Luft tummelt, falls
es nicht zu dickschalig und zu groß ist. Die einen jagen auf
Mücken und Stechfliegen, die andern auf Bremsen und Falter,
und da sie viel Nahrung brauchen, um den Kräfteverlust, den
ihr rasender Flug hervorbringt, zu ersetzen, so nützen sie wohl
ebensoviel, wenn nicht mehr, als die Vögel, die sich von Ungeziefer nähren, und so machen sie das wieder wett, was sie
als Larven an Fischbrut sündigten. Sie selber aber dienen
allerlei Getier zur Nahrung. Die dicke Kreuzspinne fängt sie
im Netze, die schlanke Eidechse hascht sie im Sprunge, der
Würger spießt sie auf einen Dorn, der Turmfalke greift sie
am Tage, und bei Nacht nimmt die Nachtschwalbe sie von
den Zweigen.

Doch ihre Bedeutung liegt nicht in ihrem Nutzen und
Schaden. Ob dürre Heide oder üppige Wiese, ob tosender
Wildbach oder langsamer Fluß, ob ernstes Moor oder lachendes
Tal, mehr als alle anderen Insekten geben sie der Landschaft

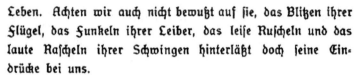
Leben. Achten wir auch nicht bewußt auf sie, das Blitzen ihrer
Flügel, das Funkeln ihrer Leiber, das leise Rufcheln und das
laute Rafcheln ihrer Schwingen hinterläßt doch feine Ein-
drücke bei uns.

Nicht das, worauf wir bewußten Blickes unfere Augen
richten, wirkt am stärksten auf uns; gerade das, was wir an-
fcheinend überfehen, erregt zumeist die tiefsten Stimmungen,
läßt uns, ohne daß wir es ahnen, den Tag fchöner finden, das
Leben leichter tragen, und fei es auch nur das Kniftern und
Schimmern der Libellen.

Am Sommerdeich

Neben dem Fluſſe, ſeine unzuverläſſigen Wellen be-
wachend, wie der Hund die Herde, damit ſie nicht
vom Wege laufen und Schaden machen, geht der
Sommerdeich. Je nachdem der Fluß ſich benimmt, ſo verhält
ſich der Deich; wo der Strom eine ſcharfe Biegung macht, ſo daß
man ihm anſieht, daß er Unfug vor hat, da bleibt er ihm
dicht auf der Naht; wenn er aber ſinnig geradeaus geht, dann
kümmert er ſich nicht ſo ſehr um ihn.

Alle paar Tage gehe ich gern den Deich entlang, weil es
dort ſo vielerlei zu ſehen und zu hören gibt, und zu riechen
desgleichen. Denn hier riecht es anders als im Bruche und
auf der Heide. Der Schlick vom letzten Hochwaſſer ſtrömt in
der Sonne einen ſtrengen Geruch aus, und wenn ich im langen
Graſe liege und in den blauen Himmel hineinſehe und den
klirrenden Schrei der weißen Seeſchwalben vernehme und dem
Kluckſen und Platſchen der Wellen am Ufer lauſche, und fern
heult der Dampfer, dann iſt mir mitunter ſo zumute, als wäre
ich an der See. Aber wenn ſich dann eine leichte Briſe auf-
macht und den Duft des Ruchgraſes zu mir herweht und den
der Lindenblüte, und die Schwalben zwitſchern, und ganze Flüge
von jungen Sprehen brauſen über mich hin, dann ſchmecke ich,

daß die Luft süß ist. Es liegt sich prachtvoll unter der krausen Eiche hier, um die wie eine Laube ein Kreis von hohen, dunkelen Stechpalmen steht. Wenn ich hier liege, denke ich garnicht daran, daß ich irgendetwas zu tun habe; das Wasser kluckst und platscht im Ufergebüsch, der Südwind ruschelt im Rohre, die Grasmücken singen in den Hagen, die Schwalben zwitschern in der Luft über mir, in der Eiche schwatzen die Hänflinge, die Bienen summen und die Hummeln brummen, die Wasserjungfern knistern, die Grillen geigen und die Heuschrecken fiedeln, alles das zusammen ist wie ein einziges Wiegenlied, bei dem man an nichts denken mag, sondern sich immer nur recken und strecken möchte. Und wenn eine Kuh aufbrüllt, eine Krähe quarrt, ein Kibitz ruft oder die Mädchen, die zum Melken gehen, ein altes Lied nach einer süßen Weise singen, nichts davon stört den Frieden des Sommertages.

Jenseits des Flusses wenden sechs Mädchen Heu, immer in einer Reihe, bald dicht am Ufer, bald oben an der Hecke. Sie sehen zu hübsch aus, die sechse, alle in derselben Tracht, in den weißen Helgoländern, den roten Leibchen, die am Halse und über den braunen Armen ein Stückchen weißes Linnen freigeben, und in den blauen Röcken mit den weißen Schürzen. Je nachdem sie her oder hin wenden, sehe ich die blanken Harkenstiele, und die zwölf braunen Arme blitzen und leuchten, oder es kommen noch die sechs Gesichter dazu, die bei jeder Wendung aufleuchten und verschwinden. Und hier und da und dort in den Wiesen sind ähnliche Gruppen von Mädchen und Frauen, alle in derselben Tracht.

Auch sonst ist noch allerlei zu sehen. Ein Dutzend schwerer, schwarzweißer Kühe steigt langsam und besonnen das Ufer hinab und watet in das Wasser; laut schlürfen sie und schlagen dabei wild mit den Schweifen, weil die Bremsen um sie im Gange sind und die blinden Fliegen. Auf ihren breiten, glatten Rücken laufen die blanken Sprehen hin und her und suchen ihnen das Ungeziefer ab. An dem sandigen Ufer des Werders trippeln zwölf Kiebitze umher; Ringeltauben kommen angeflogen und tränken sich, und mit hellem Getriller, dicht über dem Wasser herstreichend, naht der Uferläufer und läßt sich auf dem Schlick nieder, während hinter dem Treibholz alle Augenblicke der schwarzweiße Hals eines Reihers aufzuckt, der dort auf Ukleis fischt. Aus dem Weidicht schwimmen Rohrhühnchen, flüchten aber wieder, gewarnt von dem Gezeter der Elster, denn am Ufer entlang schaukelt sich der Gabelweih.

Unter mir liegt ein runder, tiefer Kolk, von Schilf, Rohr, Pumpkeulen und Kalmus eingefaßt, ganz bedeckt von den breiten, blanken Blättern der Seerose, zwischen denen die großen, weißen Blumen leuchten. Das Rohr ist durchflochten von der Uferwinde, deren weiße Trichterblüten es beleben, und an fünf Stellen brennen die rosenroten Dolden der Blumenbinse im hellen Sonnenlichte. Aber herrlicher als alle diese Blumen sind die gewaltigen, goldgelben Blütenschirme der Riesenwolfsmilch, die an drei Stellen Büsche von Manneshöhe bildet. Jedesmal, wenn der Wind auffrischt, wirft er mir den betäubenden Honig-geruch der stolzen Blume zu, die so aussieht, als gehörten Palmen und andere Südlandsbäume in ihre Nähe.

6*

Aber auch ganz in meiner Nähe ist es wunderhübsch. An den hohen Beinwellstauden hängen weiße und blaue Glöckchen, ein großer weißer, gelbgeäugter Stern steht auf langem Stengel neben dem anderen, wunderbare Disteln mit dicken, purpurnen Blüten, die mit zartblauen Staubfäden geziert sind, sehen stolz auf das Labkraut hinab, das einen goldenen Teppich vor ihnen ausbreitet, ein Heckenrosenbusch prangt über und über in Blütenpracht, und damit der Schlehdorn dagegen nicht so kahl aussieht, hat ihn die Klingelwicke ganz mit herrlichen blauen Blumen umsponnen, während ein bunt blühendes Geißblatt der Hainbuche denselben Liebesdienst tut. Davor aber protzt der Rainfarren mit lauterem Golde, als wollte er es dem Johannis-kraute gleichtun, das sich aber noch neben ihm behauptet, zumal des Baldrians weiße Dolden ihm einen schönen Hintergrund geben.

Weil hier so viele Blumen wachsen, fliegt auch so viel buntes und blankes Getier, und deshalb sind auch solche Un-mengen von Schwalben da, Rauchschwalben mit roten Kehlen, Steinschwalben mit silbernem Bürzelfleck, die grauen Ufer-schwalben, die so gemütlich schwatzen, und hoch in der Luft die wilden Turmschwalben, die Schreihälse. Jetzt kreischen sie alle auf einmal los und hetzen den Lerchenfalken, der von dorther, wo die braunen, schwarzhäuptigen Haidberge gegen die weißen Wolken stehen, gekommen ist, um zu rauben; um den Turm-falken aber, der über dem Kleestück rüttelt, kümmern sie sich nicht. Es ist so vieles hier zu sehen, daß ich nicht damit zu Ende komme, und wenn ich jeden Tag hier liege. Ein hoher Mauerpfeffer wächst aus der Deichböschung heraus und hüllt

sie in reines Gold. Darüber ragen die rosenroten Häupter
der Sandnelke, und überall funkeln die rubinroten Blütchen der
Kartäusernelke über den sammetweichen Kätzchen des Mause-
klees. Dann kommt ein Würger angeflogen und spießt eine
Wasserjungfer auf den Schlehenbusch neben seine übrigen Vor-
räte; eine große Seemöve, die der letzte Sturm in das Land
geweht hat, jagt am Ufer entlang; am Werder stelzt der Brachvogel entlang, und hier und da und dort ist ein Storch zu sehen.

Nicht nur tagsüber ist es herrlich hier, sondern ganz besonders des Abends, wenn das Käuzchen umfliegt und in allen
Kölken und Gräben die Frösche prahlen und das Wasser aussieht, als flösse es über schieres Gold. Aber noch schöner bei-
nahe ist es morgens, wenn die Wiesen vor Tau blitzen, und
durch den Nebel, der über dem Flusse steht, die Reiher dahin-
rudern wie Schatten der Vorzeit.

Auch wintertags, wenn Randeis an dem Weidicht entlang
rasselt, und der ganze Marsch und die fernen Haidberge weiß
sind, ist es schön hier, auf andere Art zwar, aber doch schön;
denn schön ist es immer hier am Sommerdeich.

Die Bickbeere und ihre Geschwister

in großer, grüner Teppich, dicht mit dunkelblauen Perlen bestickt, bedeckt den Boden des Waldes hier. Süße Perlen sind es, bei groß und klein beliebt und begehrt, Bickbeeren, und so reich wie in diesem Jahre haben sie lange nicht getragen, denn als sie blühten, war es warm und still, so daß die Bienen flogen und sie befruchteten.

Unsere Bickbeere, anderswo Heidelbeere, Besinge oder Blaubeere genannt, findet sich überall bei uns, wo der Boden kalkfrei ist, sowohl in der Ebene wie im Bergland, und selbst unsere Kalkgebirge beherbergen sie da, wo eine Lößdecke über dem Kalkstein liegt. In anmoorigen Teilen, Wäldern, wie hier, entwickelt sie stellenweise drei Fuß hohe Stämmchen von der Dicke eines kleinen Fingers, während sie im allgemeinen nur einen bis anderthalb Fuß hoch wird.

Unsere norddeutsche Tiefebene mit ihren großen auf Sand und anmoorigem Boden stehenden Wäldern ist so reich an ihr, daß von hier aus eine lebhafte Ausfuhr nach ganz Deutschland mit ihr getrieben wird. In der Hauptsache werden die Früchte frisch mit Milch oder Zucker genossen, vielfach auch eingekocht, oder in Pfannkuchenform gegessen, und sie geben einen vorzüglichen Saft, der mit heißem Wasser, Zimt und Zuckerzusatz

faſt ganz ſo wie Glühwein ſchmeckt, wie denn überhaupt die
Heidelbeere im Verdacht ſteht, den Hauptbeſtandteil bei der
Herſtellung billiger Rotweine zu liefern. Die Frucht iſt ſehr
geſund, und nachweislich übt ſie auf den Rückgang der Darm-
erkrankungen der Kinder einen großen Einfluß aus.

So bekannt die Bickbeere iſt, ſo unbekannt iſt ihre nächſte
Verwandte, die Moorbeere oder Rauſchbeere, im Oſten Brunkel
genannt. Sie übertrifft an Höhe des Wuchſes die Heidelbeere
bedeutend und wächſt in mehr oder minder großen, meiſt rund
geſtalteten Horſten, deren untere Zweige feſt auf dem Boden
liegen. Im Gegenſatze zu der Bickbeere, die den Wald vor-
zieht, liebt ſie das offene Moor, und für viele Moore iſt ſie
eine der bezeichnendſten Pflanzen. Die jungen Stämme und
Zweige ſind helleberbraun, die älteren fahlbraun und ſilbergrau;
die verkehrteiförmigen, ſehr ſchwach .gezähnelten Blätter haben
nicht das kräftige Grün der Bickbeerenblätter, ſondern einen
bläulichgrünen Ton, der ſich im Herbſt zu brennendem Gelbrot
umfärbt. Die Blüten ſind ebenfalls geſchloſſen wie bei der
Bickbeere, doch kleiner und blaſſer, die Früchte den Heidelbeeren
ähnlich, nur ſehr hellblau bereift und innen blaſſer; ihr Geſchmack
iſt ähnlich, nur etwas herber.

Die Moorbeere kommt in allen unſeren Mooren vor, die
nicht auf feinem Sande ſtehen; ſie will geſchiebereichen Sand.
Wie die Bickbeere, ſo geht auch ſie ins Gebirge, vorausgeſetzt,
daß es kein Kalkgebirge iſt, oder daß eine ſtarke Moor- oder
Lößdecke den Kalk überdeckt. Wo ſie vorherrſcht, kann man
ſtets darauf rechnen, die Kreuzotter anzutreffen, während ihr

Fehlen darauf schließen läßt, daß diese Schlange dort nicht
vorkommt. Der Umstand, daß die Kreuzotter und die Moorbeere in einem gewissen, durch die Bodenbeschaffenheit bedingten
Zusammenhange stehen, hat wohl dazu geführt, daß man ihre
etwas faden, aber bekömmlichen Früchte in den meisten Gegenden
Deutschlands nicht verwertet werden. In Rußland und Sibirien
bilden die Früchte ein ganz bedeutendes Volksnahrungsmittel,
und es ist zu wünschen, daß ihr Wert auch bei uns mehr erkannt
werde, denn sie sind, weil der Wuchs der Moorbeere höher ist
als der der Bickbeere, viel leichter zu pflücken als die Bickbeeren.

Noch geschätzter als die Bickbeere ist die Kronsbeere, auch
Preißelbeere genannt. Sie wächst an denselben Standorten wie
die beiden vorigen, zieht aber den ausschließlichen Nadelwald
vor. In Wuchs, Belaubung, Blüte und Frucht unterscheidet
sie sich bedeutend von den beiden vorigen Arten, denn sie ist
ein niedriger Halbstrauch, der viele Ausläufer treibt und dadurch große, zusammenhängende Rasen bildet; ihre Blätter
fallen im Herbste nicht ab wie bei der Bick- und Moorbeere,
sondern sind immergrün, lederartig und glänzend, ihre Blüten
stehen in Scheintrauben und haben keine geschlossene, sondern
eine offene Krone, und ihre Früchte sind nicht blau, sondern
scharlachrot.

Ihre wirtschaftliche Bedeutung ist noch viel größer als die
der Heidelbeere; sie ist so groß, daß der Staat sich veranlaßt
sah, für die beiden Erntezeiten Aufgangspunkte festzusetzen und,
um der Zerstörung der Sträucher vorzubeugen, das Pflücken
mit dem Kamme zu verbieten. Die großen Nadelholzwaldungen

unserer Tiefebene beherbergen gewaltige Bestände der Kronsbeere, und in Unmassen gehen ihre Früchte im Herbste nach
auswärts. Die Früchte werden größtenteils als Kompott, und
zwar zum Teil allein, teils mit Birnen und Äpfeln gekocht,
verwandt; als frisches Kompott ißt man sie selten, obgleich es,
besonders von den Früchten der letzten Ernte, ganz vorzüglich
ist, wie denn auch der davon gewonnene Saft ebenso erquickend
ist wie Himbeer- und Johannisbeersaft.

Unsere vierte und unbekannteste Heidelbeerenart ist die
Moosbeere, ein zierliches, rankendes Sträuchlein mit feiner,
myrtenähnlicher Belaubung, zierlichen, denen der Türkenbund-
lilie ähnlichen Blumen von großen, rötlichen oder rotbäckigen,
sehr saueren Beeren. Das Sträuchlein wächst in unseren Hochmooren und sowohl in der Ebene wie in den Bergen und
liegt eng angepreßt auf dem feuchten Torfboden und dessen
Moosbedeckung, so daß es wenig auffällt, obgleich seine Ranken
sich viele Fuß weit erstrecken. Wenn, was allerdings nur in
Abständen von mehreren Jahren vorkommt, die Moosbeeren
reichlich tragen, so sehen die damit bestandenen Torfmoosflächen
herrlich aus; auf den hellgrünseidenen Torfmoospolstern liegen
dann, wie geschliffene Korallen auf einem Kissen, die zierlichen
Früchte in solchen Mengen, als wären sie dort ausgeschüttet.

Da die Früchte mühsam zu sammeln sind, denn man muß
sie förmlich von dem Moose abkämmen, so werden sie bei uns
fast gar nicht genutzt, obgleich der daraus gewonnene Saft bei
reichlichem Zuckerzusatze eins der besten Erfrischungsmittel ist.
In Rußland nimmt man den unversüßten Saft statt des

Zitronenſaftes, dem er in ſeinen Eigenſchaften faſt gleichkommt, zum Tee, und in Schottland gilt das Kranberrngelee als feinſte Füllung für Kuchen und Omelettes, und England verbraucht alljährlich ungeheuere Mengen ſchottiſcher und ſkandinaviſcher Moosbeeren.

Außer dieſen vier einheimiſchen Arten hat man noch die aus Nordamerika ſtammende großfrüchtige Moosbeere hier und da bei uns angeſiedelt. In Amerika hat dieſe Heidelbeerart aber ſehr große wirtſchaftliche Bedeutung, und in den Staaten Wisconfin, Neu-Jerſey und Michigan wird ſie ſogar angebaut, und der aus dem Anbau erzielte Erfolg iſt ſo groß, daß das naſſe Moorland, das ſie verlangt, dem beſten Ackerboden an Wert gleichkommt. Dort legt man in den Mooren Abfuhrwege, hölzerne Geleiſe und Wirtſchaftsgebäude an, mäht die Moorgräſer tief ab, lockert die Grasnarbe und pflanzt im Abſtande von fünfzehn Zentimetern die Stecklinge ein, die bald anwachſen. Die aufſchießenden Sauergräſer und ſonſtigen Gewächſe, die die Moosbeeren erſticken, walzt man nieder, überſchwemmt im Oktober die ganze Anlage und läßt erſt im Mai das Waſſer ab, wodurch man die Pflanzen vor dem Auswintern ſchützt.

Unſere Heidelbeerarten haben nicht nur für den Menſchen, ſondern auch für die Vogelwelt eine große Bedeutung, und das Vorkommen von Birkwild iſt faſt ganz an das der Moor- und Moosbeere geknüpft. Der Jäger trifft im Spätherbſt und Winter ſtets das Birkwild in den Mooren und lichten Birkenbeſtänden an, die die Moosbeere beherbergen.

Der Forstmann dagegen sieht die Bickbeere und die Kronsbeere nicht gern im Walde, wenn erstere auch eine gute Äsung
für das Wild abgibt; aber diese beiden Halbsträucher, wie auch
die Heide besitzen in ihren Blättern soviel Gerbsäure, daß die
Blätter nur sehr langsam verrotten, und so bildet sich unter der
den Sauerstoff der Luft abhaltenden Schicht trockener Blätter
eine eigenartige, von ihrer Farbe Bleisand genannte Erdschicht,
die fast ganz undurchdringlich für die Wurzeln der Bäume ist,
und die an feuchteren Stellen zu der Bildung des Ortssteines
führt, der dem Forstmanne so viel Schwierigkeiten bei Auf-
forstungen bereitet.

Das ist aber auch die einzige unangenehme Eigenschaft der
Bickbeere und ihrer Geschwister.

Das rosenrote Land

Vom Lindenbaume fiel das erste gelbe Blatt, Herbst-
seide zieht über die Stoppel, die Wiesen blühen
nicht mehr, Georginen und Totenblumen prahlen in
den Gärten; die schönste Zeit ist vorbei. Für die Heide aber
kommt sie erst. Dreimal hatte sie sich schon fein gemacht, im
Frühjahr mit silbernem Wollgras ihre Moore geschmückt, im
Vorsommer mit goldenen Ginsterblüten die Hügel ausgeputzt
und späterhin einen herrlichen Teppich neben den andern ge-
breitet, blumenbunte Wiesen, schneeweiße Buchweizenbreiten und
Lupinenfelder, gelb wie Honig und duftend wie dieser.

Nun aber legt sie ihr Staatskleid an, das rosaseidene,
heftet flimmernde Pailletten auf ihre Schleppe, himmelblaue,
kleine Falter, tränkt ihr Mieder mit einem feinen Duft von
Honig, heftet einen Strauß azurner Enzianen daran und schlingt
den Erbschmuck aus purpurnen Korallen in ihr roggenblondes
Haar. „Die Oerika blüht!" hallt es durch die Städte, und die
Stadtmenschen, heidhungrig und heißhungrig nach Blumen und
Sonne, kommen angezogen, erfüllen die Stille mit Liedertafel-
gesang, raufen bündelweise das blühende Heidkraut aus, hinter-
lassen Papierfetzen und Flaschenscherben bei den Denkmälern
der Vorzeit, schmachten und schwärmen von Heidfrieden und

Heidpoesie und kehren wieder heim und denken, daß sie die Heide nun kennen.

Die aber erschließt sich ihnen nicht so leicht. So wenig kennen sie sie, daß sie von der blühenden Erika mit dem Ton auf dem E schwärmen, aber der Ton muß auf dem I liegen, und nicht die Erika, die Glockenheide, ist es, die dem Lande den Rosenschimmer gibt, denn deren Blumen sind schon längst ver= trocknet, und nur hier und da ist noch ein blühender Busch zu finden, sondern die Calluna ist es, die Sandheide, das beschei= dene Sträuchlein hier auf den dürren Flächen, wo die Schnucken weiden, hoch und stark aber dort in den moorigen Gründen, in die nur der Jäger sich hineintraut.

Wer bloß auf den sandigen Höhen bleibt, wo der Erd= boden fest und trocken ist, der lernt die Heide nicht kennen, wie der ihr Volk nicht erkennt, der nicht sieben Scheffel Salz mit ihm teilte. Wer die stillen Gesichter mit den kühlen Augen und den verschlossenen Lippen betrachtet, der denkt vielleicht, dahinter sei nicht Feuer noch Flamme, nicht Wunsch noch Wille. Aber es hat seine Geheimnisse, die es in festverwahrten, eisen= beschlagenen Truhen verbirgt, Erbtümer aus den Zeiten, da es sich mit Römern und Franken, Nordmännern und Wenden= volk herumschlagen mußte, und die gespenstigen Mährenhäupter über den Strohdächern und den Rauchfängen der Herde er= zählen, daß der Glaube an Wode und Tor heute noch nicht ganz erloschen ist.

Auch das Land selber birgt Erinnerungen mannigfacher Art. Gewaltige Bauwerke, aus ungefügen Granitblöcken auf=

geſchichtet, umgeben von vielen Hunderten von Hügelgräbern, Steinbeile, Bronzekelte, Eiſenſchwerter und allerlei Schmuck aus Edelmetall geben Kunde von den Völkerwellen, die hier hin- und herfluteten, von den unbekannten Menſchen der Steinzeit, die vor den Kelten flohen, bis dieſe den Longobarden weichen mußten; die aber ſchlugen ſich mit den Sachſen herum, bis ſie ſich ſchiedlich vertrugen, um gemeinſam den Anprall der ſla- wiſchen Sturmflut abzuwehren, die weit in das Land zwiſchen Elbe und Weſer hineinſpülte, bis ihre Macht ſich brach und Slawen und Germanen neben- und durcheinander ſich zu ge- meinſamer, friedlicher Arbeit zuſammentaten, nachdem jahr- hundertelang die Weiler in Rauch aufgingen und hüben und drüben das Blut reichlich floß.

Noch andere Andenken an die Vorzeit hält das Land ein- geſchloſſen. Beim Torfmachen, bei Entwäſſerungen und Erd- arbeiten werden gewaltige Eichenſtümpfe bloßgelegt, werden mächtige Eibenſtämme aufgedeckt, die Früchte von Haſel- und Hainbuche an Orten gefunden, wo heute Torf anſteht und Heide wächſt und außer Birke und Eller kein Laubholz gedeiht, feſte Beweiſe dafür, daß bis auf die naſſen Gründe und die dürren Höhen ein lockerer Eichenhain das Land bedeckte, in dem ein fleißiges Volk wohnte, das ſein Vieh weidete und ſeine Äcker beſtellte, das nach der Nordſee hin und bis Byzanz Pferde, Wolle, Felle, Wachs und Honig handelte, bis der Franke ein- brach, mit Gewalt und Liſt das Land an ſich brachte, das Volk umbrachte oder verſchleppte und den Reſt unter das Kreuz zwang. Weite Strecken wurden damals wüſt und ver-

moorten oder verheideten; weitere Wüstungen brachte dann
die Feudalzeit mit ihren ewigen Kriegen mit sich, die Saline
zu Lüneburg und die Hafenbauten Hollands fraßen die Eichen-
wälder auf, und so entstand das, was man da nennt: die
Lüneburger Heide.

Bis auf die letzte Zeit war sie ein unbekanntes Land, so
unbekannt, daß sie als eine trostlose Wüste galt, so daß ein
französischer Schriftsteller von ihr schrieb, sie werde bewohnt
von un peuple sauvage, nommé Aidschnukes. Noch
heute trifft man in Büchern allerlei falsche Beschreibungen von
ihr an, als gäbe es dort nichts als platte, dürre, heidwüchsige
Flächen, und es ist doch ein Land, reich an lachenden Fluß-
tälern, bewachsen mit meilenweiten Wäldern, besät mit statt-
lichen Weilern, Dörfern, Flecken und kleinen und größeren
Städten, ein Land, das eine fleißige, wohlhabende Bevölkerung
beherbergt, seitdem es sich nach dem Dreißigjährigen Kriege
von dem grauenhaften Elend, das Dänen und Schweden, Wal-
lonen und Kroaten und nicht zum mindesten deutschblütige
Kriegsvölker ihm brachten, und von dem in den Kirchenbüchern
und Schatzregistern mancher Name ausgegangener Höfe und
Dörfer meldet, von denen es dort heißt: „Ligget wüste".

Freilich umfaßt es auch weite Strecken Ödland, meilen-
lange Heiden, so leer wie eine Bettlerhand, nur hier und da
mit krüppligen Wacholdern und krausen Kiefern bestockt, un-
übersehbare Moore, deren Eintönigkeit kaum ein Baum unterbricht, breite Brüche mit undurchdringlichen Dickichten, unheimliche
Wildwälder, von selber angeflogen, in denen es nicht Weg noch

Steg gibt. Doch das gereicht der Bevölkerung eher zum Nutzen als zum Schaden, denn es bietet auf lange Zeit Tausenden von Menschen Gelegenheit, sich ein eigen Stück Land zu erwerben. Von Jahr zu Jahr nehmen die Einöden mehr ab. Die kahlen Heiden werden aufgeforstet, die Brüche zu Wiesen und Ackerland gemacht; wo einst Hirsch und Sau, Schreiadler und Waldstorch hausten, wo Heide und Wollgras wucherte, stehen Häuser, weidet Vieh, rauschen goldene Ähren das Hohelied vom Bauernfleiß. Kreuz und quer zerschneiden Eisenbahnen und Straßen das Land, und an ihnen entlang rückt die Bebauung. Heute schon ist die Heide das nicht mehr, was sie vor fünfzig Jahren war; und in abermals fünfzig Jahren wird niemand mehr das Recht haben, ihr den alten Namen zu geben.

Weichlich wäre es, darüber Wehklage zu erheben. Das Christentum hat nichts nach dem künstlerischen Gehalt des Urglaubens gefragt, als es ihn bis auf den Wurzelstumpf mit Feuer und Schwert vernichtete; so kümmert sich auch die Kultur nicht darum, schreitet sie voran und nimmt sie dem Lande ihr altes Gewand. Es ist auch sehr die Frage, was in Wirklichkeit schöner ist, eine rosenrote Einöde, die auf einer Geviertmeile keinen zehn Menschen Nahrung bietet, als die fruchtbar gemachte Scholle, die Hunderte nährt. Unsere überfüllten Städte haben uns sentimental gemacht, so daß wir das wilde Hochgebirge und die wüste Heide schön finden mußten, die den schönheits-frohen Griechen nichts bot als Schreknisse und Langweile. Und, Hand auf das Herz, wo ist die Heide am schönsten, wo wirkt das Hochgebirge am tiefsten auf uns? Da, wo nichts und weiter nichts vor uns liegt als das wüste Land oder Klippen und ewiger Schnee, oder dort, wo ein weißer Weg auf dem rosigen Hügel, eine graue Windmühle vor dem blauen Himmel, oder eine Sennhütte oder eine Brücke, Menschheitsspuren, uns mit der Natur verbinden?

Wo das nicht der Fall ist, zerbrückt das Gebirge den Menschen, zerquetscht die Heide ihn. Mit den gebahnten Wegen hört alle Heidschwärmerei auf. Da zieht sich ein Moor hin, meilenweit, meilenbreit. Kein Weg führt dadurch, selbst die Jäger wissen nicht, wie die Jagdgrenzen laufen. Daumendick sind am Grunde die Heidbüsche, und ihre Spitzen reichen dem Wanderer bis unter die Brust. Kein Haus, kein Kirchturm, keine Windmühle überschneidet den Himmelsrand. Heide, Heide, nichts als Heide, so weit man sieht, die allerschönste, rosen-roteste, honigduftende Heide, laut vom Gesumme der Bienen, bunt von dem Geflatter blauer Schmetterlinge, überflittert von zahllosen Libellen, flimmernd und glimmernd in der Sonne, überspannt von einem lichten, von weißen Wolken gemusterten Himmel, aller Schönheit voll, und doch unheimlich, tot und schrecklich für den einsamen Wanderer, der da auszog, um Heidfrieden und Heidschönheit zu finden, und nun dasteht, ein Häufchen Unglück, ein Nichts in dieser unwegsamen, unwirt-lichen, unendlichen, rosenroten Wüstenei und in sich nach einem einzigen Menschen schreit, und wenn es auch ein landfahrender Stromer wäre.

Oder kommt er von der Straße ab und verläuft sich in der kahlen Schnuckenheide, auf deren hungriges Blühen die

Sonne herniederprallt, oder gerät vom Wege und irrt im
Bruchwalde umher, in dem eng verfilzten, dumpfen, schwülen,
wo die Otter am Boden kriecht und die Luft von stechendem
Geschmeiße lebt, oder steigt im Torfmoore umher, bis er nicht
aus und ein weiß, weil überall der Boden nachgibt, oder er
geht in später Dämmerung einen schmalen Weg, der ihn über
eine Wacholderheide führt, und rechts und links und fern und
nah stehen gespensterhafte Gestalten, die ihn drohend anstarren,
dann weiß er, daß das Land, über dessen rosenrote Pracht er
in Entzücken geriet, als er am herrlichen Mittage auf der
Kuppe des Hügels unter der Schirmkiefer rastete und es unter
sich liegen sah, lachend und lieblich, ein einziges großes, schön
bewegtes Blumengefilde, daß es seine Tücken und Gefahren
hat, und seine Geheimnisse, wie die ernsten, aber freundlichen
Leute in dem großen, strohgedeckten Hause, wo er um einen
Trunk Wasser bat und Kaffee und Honigbrot bekam, ohne
daß er dafür zahlen durfte.

Aber davon weiß das fröhliche Völkchen nichts, das
zu der Zeit, wenn der Honigbaum, wie der Heidcher das
Heidland nennt, am Blühen ist, Sonntags zu Hunderten aus
den Eisenbahnwagen quillt, mit Hurra und Juchhe die Sandwege entlang wandert, von der blühenden Oerika schwärmt,
den Schnuckenschäfer dumm fragt und nach bequemer
Fahrt Erkleckliches im Vertilgen von Schinkenbutterbroten und
Dickmilch leistet.

Ein angenehmer Ausflugsort ist es ihm, ein bequemer
Spielplatz für große Kinder, eine billige Erholungsstatt, und

so krimmelt und wimmelt es denn um diese Zeit da überall von Menschen, bauen sich von Jahr zu Jahr mehr Stadtleute dort an, schnurren die Räder, donnern die Autos auf allen Straßen, wachsen Hotels und Restaurants, wo einfache Dorf= krüge standen, verliert es immer mehr an eigener Art, das einst so mißachtete, rosenrote Land.

Die Teiche

eit vor der Stadt, zwischen Hügeln verborgen, liegen zwei Teiche. Kein Reiseführer nennt sie, keine Karte führt sie an, und so flutet der Strom der Ausflügler an ihnen vorüber. Nur einige wenige Naturfreunde suchen dort seltene Blumen und stellen den Käfern und Schmetterlingen nach, ab und zu verirrt sich ein Maler dorthin, und wenn nicht die Jungens aus dem nächsten Dorfe einen Ausflug dahin machen, um trotz der halbverwitterten Warnungstafel in dem flachen, klaren Wasser zu baden, dann ist es außer der Bestell- und Erntezeit dort still und ruhig, und höchstens ein Jäger pürscht den Holzrand ab.

Zweimal war ich dort gewesen, einmal im Spätsommer, als die Raine bunt waren von hohen Blumen, und später im ersten Frühling, als die blaßgelben Schlüsselblumen den knospenden Wald mit ihrem feinen Pfirsichduft erfüllten und die hellblauen Waldveilchen aus dem braunen Fallaube brachen. Als ich neulich der Stadt müde war, da fielen mir die Teiche ein und zogen mich zu sich.

Der Tag war heiß und durstig. In ländlichem Wirtshausgarten saß ich unter weißblühendem Strauche und hörte dem Mönch zu, der ununterbrochen aus den fruchtschweren Walnußbäumen sein silberhelles Liedchen bald laut, bald leise sang, und dem Esel, der seiner Freude über den schönen Tag Ausdruck gab auf seine Art. Und als die Sonne nicht mehr ganz so heiß schien, da ging ich durch die Felder den Bergen zu.

An einer unendlichen Weizenbreite, deren sattgrüngelbe, in der Spätnachmittagssonne glitzernde, leicht im Winde fließende Fläche nur sparsam mit rotem Mohn, hellblauen Kornblumen und dunklerem Rittersporn durchwirkt war, zog sich der graublaue, staubige Weg lange hin, bis am Kamme des Anberges die goldig leuchtende Fläche halbreifer Sommergerste sichtbar wurde, und dann führte eine dürre Trift aus dem Felde zum Berge.

Buschwald deckt den Hang, ein niedriges, dichtes Durcheinander von Hainbuche und Rotbuche, Hasel und Eiche, Maßholder und Kornelkirsche. Am Wege leuchtet ein hoher, hellblauer Ehrenpreis, blaue Glockenblumen nicken, gelbweiße Sternblumen erheben ihre breiten Schirme. Über den Boden kriecht das wilde Süßholz, an den Rosenbüschen schimmern die letzten Blüten, hier und da erhebt ein rosenrotes Knabenkraut seine duftenden Rispen. Durch die Ackerfurchen, in die das Regenwasser Ähren und Halme fest hineingewalzt hatte, suchte ich mir den Weg nach dem feuchten Wiesental, und als ich höher stieg, sah ich das Wahrzeichen der Teiche, die hohen Pyramidenpappeln, hinter dem Rücken des Hügels auftauchen.

Sie sind keine große landschaftliche Sehenswürdigkeit im landläufigen Sinne, die beiden Teiche. Zwei flache Wasser, von Rohr umrahmt, zwischen kahlen oder mit Getreide bestandenen,

nach der einen Seite bewaldeten Hügeln liegend, mögen sie
viele Leute kalt lassen. Ich aber liebe sie. In ihrer Weltab=
geschiedenheit liegt ihr Zauber. Vor dem Holze, unter den
niedrigen, geköpften Hainbuchen und den hohen, raschelnden
Eschen muß man stehen und nach dem Einschnitt sehen, durch
den der Weg an den strengen, herben, hohen Pappeln vorbei=
schleicht. Die Sonne muß hinter dem Walde stehen und auf
dem Wasser liegen, das die zarten, braungrünen Töne der
Hügel angenommen hat. Ein leiser Wind muß wehen, daß
das Rohr rauscht, und daß seine vorjährigen Blütenrispen
schwanken.

So traf ich es. Hinter mir gurrten die Turteltauben,
sangen die Goldammern, schmetterten die Baumpieper. Das
Rohr glitzerte in der Sonne, die hohen Binsenhalme neigten
sich in ihrer ernsten, gemessenen Weise. Dann erklang der
rauhe, schrille Ruf des Wasserhuhns, der Teichrohrsänger sang
sein seltsames Lied, der Drosselrohrsänger griff die Weise auf
und verstärkte sie auf den doppelten Umfang, ein alter, dicker,
braunschwarzer Frosch, dessen Rücken ein schmaler gelber Strich
zierte, gab, wie ein Vorbeter, dreimal das Zeichen, und aus
dem Rohr, aus den Pumpkeulen fiel die ganze Froschgemeinde
im Chor ein.

Allein der Drosselrohrsänger ist mir schon Fahrt und Weg
wert. „Karl, Karl, kiek!" so singt er. Das quietscht und quarrt
gellend und grell, aber es paßt wunderschön zu dem Rauschen
des Rohrs, dem Plärren der Frösche, dem Schrei des Wasser=
huhns. Alle Rohrsängerarten haben diese Töne als Grundlage

ihres Gesanges, aber die im Weidengebüsch des Ufers, am Waldrand und im feuchten Feld leben, die stimmen es in die Umgebung hinein. Der Drosselrohrsänger aber, der nur im großen Rohrwald lebt, verzichtet auf alles Liebliche und gefällige Beiwerk.

Über das freie Wasser jagen einzelne große Jungfern mit blaubereiften Hinterleibern. Das Volk gab ihnen einen hübschen Namen; aber es sind böse Räuber. Pfeilschnell schießen sie hin und her; ihre ungeheuren, halbkugeligen, gläsernen Augen spähen nach einer harmlosen Fliege. Wie Falken stoßen sie darauf zu, fassen sie und zermalmen sie zwischen den schreck- lichen Kiefern.

Verwandte davon, winzige, fadendünne, himmelblaue Jüng- ferchen, flirren zu Hunderten am Strande herum und bedecken jeden Binsenhalm mit langen, hellblauen Auswüchsen. Auch diese zierlichen Geschöpfe, die aussehen, als lebten sie von Tau und Blumennektar, sind Räuber. Die dicken Schleie aber, die, langsam mit den rotgeränderten Flossen rudernd, unter ihnen das Wasser ziehen, sind, so gefräßig sie aussehen, harmlose Tiere, die vorlieb mit allem nehmen, was am Boden fault.

Auf dem Kalkschotter des Uferrandes ist ein schwärzliches Gewimmel. Hunderte und Hunderte von eben entwickelten Fröschchen hüpfen da durcheinander. Hunderttausende von Eiern schwammen im Frühling hier. Viele verfaulten, wurden von Pilzen verdorben. Von den Hunderttausenden von Kaulquappen schluckten Tausende Molch und Hecht. Und von den Tausenden von Fröschchen, die auskamen, werden mehr als drei Viertel

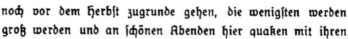

noch vor dem Herbst zugrunde gehen, die wenigsten werden
groß werden und an schönen Abenden hier quaken mit ihren
Eltern und Urgroßeltern.

Es ist überall gleich in der Natur und bei den Menschen.
Der Anfang, das ist das Schwerste; nachher geht es schon.
Das winzige Rosensträuchlein hier am Wege kann nicht auf-
kommen. Immer wieder treten es die Schafe in den Grund.
Dem großen Strauch daneben, der ganz voll rosiger Blüten
hängt, kommen die Hufe und Mäuler nicht nahe. Er weiß
sich zu wehren. In seiner Jugend lernte er es, und jetzt ist
er stachliger als jeder andere Rosenstrauch.

Hinter dem Holze stieg eine schiefergraue Wetterwand hoch,
schob sich vor die Sonne und wuchs bis in die Mitte des
Himmelsgewölbes hinein. Der Wind frischte auf, fuhr in
hastigen Böen durch die Kronen und über das Röhricht. Aus
dem klaren, stillen Teich wurde ein schwarzes, wildes Wasser.
In einzelnen rotglühenden Fetzen brannte die Sonne durch die
schwarze Wolke, die Pappeln bogen sich ächzend, Staubwirbel
tanzten über die Abhänge, im Rohr siedete und kochte es, und
die Wellen klatschten mit hartem Schlag an das Ufer.

Die stille träumerische Ruhe der Landschaft war mit einem
Ruck vorbei. Keine Lerche sang mehr in der Luft, kein Ammer
im Rosendorn. Die Fische waren verschwunden, die Frösche
hörten auf zu gröhlen. Der Rohrsänger ganz allein kümmerte
sich nicht um Sturm und Gewitterdrohen; dicht am Wasser-
rande saß er hoch oben auf schwankendem Halm und rief sein
hartes Lied laut und schrill, als wäre das Pfeifen des Sturmes,

des Rohres Rauschen und des Wassers Klatschen nur die Begleitung dazu.

Als der Sturm sich erhob und die Pappeln sich bogen, da hatte ich mich innerlich ein bißchen geduckt. Aber der kleine Vogel beschämte mich, ich sah voll Verachtung nach den beiden Tauben, die angstvoll zu Holze flogen, und ging langsam meinen Weg entlang, das kecke Rohrsängerlied im Herzen.

Einmal hörte ich es noch hinter mir herrufen: „Kiek, kiek!" Und als ich mich umsah, da hatte die Sonne ein großes Loch durch die Wolken gebrannt, große rote und goldene Lichter auf das Wasser geworfen, den roten Ackerhang vergoldet und Rohr und Risch mit Flittern und Flimmer besät.

Und so lange sie schien, blieb ich stehen unter den Pappeln. Als sie aber hinter dem Walde verschwand und die bleierne Wolke ihr Andenken auslöschte, verließ ich die düsteren Teiche.

Die Düne

Hinter der Feldmark des Esch leuchtet aus den Föhren ein gelber Fleck hervor; eine Binnendüne ist es, aus feinem Sande bestehend. Einst wird sie hier in der Gegend die erste Besiedlung getragen haben, denn vor ihr war Sumpf und hinter ihr ein See, der im Laufe der Jahrtausende vermoorte. Dort, wo der Wind den Sand fassen kann, und der Regen ihn auswäscht, finden sich allerlei Andenken aus längst vergangenen Zeiten.

Als das Moor hinter ihr noch ein See war, werden sich Fischer auf ihr angesiedelt haben. Später ist das Land vor der Düne unter den Pflug gekommen, und obgleich die Düne sich kräftig gegen die Bauern wehrte und ihnen heute noch zu schaffen macht, so verschwindet sie doch immer mehr. Ihre Sandmassen werden als Streusand abgefahren, dienen zum Bau von Straßen, zur Befestigung der Moore und zur Auflockerung lehmiger Ackerflächen, eine Fläche nach der anderen wird aufgeforstet oder abgefahren und in Acker verwandelt, und wo einst der Birkhahn balzte und die Nachtschwalbe schnurrte, brütet die Wildtaube und singt die Feldlerche.

Noch heute sind hier in der Feldmark überall an den Wegen und in den Gräben die Spuren der ehemaligen Beschaffenheit des Geländes zu finden. Haben auch die Feldfrüchte und deren Begleitpflanzen die Hauptmenge des Landes mit Beschlag belegt, hier und da stockt an der Wegeböschung noch Sand- und Glockenheide, wuchert Heidecker und Kugelblume, Quendel und Kriechweide, und die Waldeidechse, der das Bauland verhaßt ist, kann sich immer noch halten. Die gelben Blüten des Färbeginsters und die roten Köpfe des Bergklees deuten andererseits wieder an, daß der Sand hier nicht Alleinherrscher ist, sondern daß der Einfluß der Bodenbeschaffenheit der Berge bis hierher reicht. Je mehr man sich aber der Düne nähert, um so häufiger werden die Sandpflanzen, sowohl die wilden in den Gräben und an den Böschungen, wie die zahmen auf dem Acker, der Weizen und die Bohnen bleiben zurück, Hafer und Roggen bekommen Vorhand, und dicht unter dem Holze zeigen der Lupine dichtgedrängte goldene Kerzen an, daß hier der arme Sand das große Wort führt.

Dicht neben der Roggenstoppel bedeckt die graue, dürre Renntierflechte die Grabenböschung und ein dürftiges, schwarzes Widertonmoos, zwei Pflanzen, die dem Bodenkenner verraten, daß hier viel Kalk und noch mehr Schweiß nötig ist, ehe das Land Frucht trägt. An der Wegeböschung steht der bloße Sand an. Er ist so fein, daß er wie Pulver durch die Finger läuft. Weht der Wind von Nordwesten, so pustet er den Flugsand in die Felder hinein. Deswegen haben die Bauern ihn mit Hagen aus Föhrenbusch eingehegt, damit er sich wieder begrüne. Zuerst läßt sich eine Segge auf ihn nieder, deren queckende Stöcke ihn zusammenhalten, Moose und Gräser siedeln

sich an und bilden eine Decke, die den Regen festhält. Dann
kommt der Mensch und pflanzt die Kiefer an, und aus der
Düne wird Wald, oder er kalkt die ebenen Flächen und macht
sie zu Ackerland. Vor zehn Jahren sah es unterhalb der Düne
noch wild und wüst aus, und die Bauern nannten die Gegend
das Jammertal. Heute sind nur noch kleine Sandblößen frei,
so daß der Wind kaum Unfug treiben kann. Früher kam die
Düne in die Feldmark; heute rückt die Feldmark der Düne auf
den Leib. Im landläufigen Sinne ist die Gegend langweilig. Steht
man oben auf der Düne, so hat man zwar einen ganz hübschen
Blick über das Moor und auf die Felder und Wälder, doch die
meisten Wanderer werden nicht zufrieden sein mit dem, was
die Natur ihnen hier bietet. Wer aber Freude daran empfindet,
den stillen Kampf zu beobachten, den die Bauern mit der Natur
führen, und wer nebenbei Sinn für das eigenartige Pflanzen-
und Tierleben hat, das an den Sand gebunden ist, für den
lohnt sich der Weg über die Düne, und es gibt schließlich doch
mehr zu finden, als man vermutet. Nicht allein die ursprüngliche Pflanzen- und Tierwelt bietet allerlei anziehende Erschei-
nungen, so findet sich das reizende gelbe Katzenpfötchen hier
und der kleinste, aber schönste von unseren drei Goldraub-
käfern, auch der Kampf, den hier die Vertreter von zwei Floren,
der des Sandes und der des Moores, mit der des Kalkes
führen, ist recht fesselnd, und zudem bietet die Art und Weise,
wie der Mensch mit Forst-, Acker- und Wiesenbau, Verkehr
und Industrie den armen Sand zwingt, sich nutzbar zu machen,
hübsche Gelegenheit zu lehrreichen Betrachtungen.

Im Norden, Südosten und Süden der Düne ragen Schlote in den Himmel. Die nördlichen gehören den Torfwerken, die südöstlichen der Ziegelei, die südlichen dem Kaliwerk an. Drei verschiedenen geologischen Zeitaltern, dem Alluvium, dem Diluvium und dem Tertiär entsprechen sie. Die jüngste Erdschicht, das Moor, ward zuerst verwertet, anfangs nur zur Brandtorfgewinnung. Dann nützte der Mensch den diluvialen Ton zu Ziegeln aus. Schließlich machte sich die Industrie die Moore dienstbar und gewann ihnen Torfstreu und Torfmull ab, und zu allerletzt fraßen sich Fallmeißel und Diamantbohrer in das Tertiär und suchten die Kalisalze.

Seltsam mutet es den einsamen Wanderer an, wenn er von der Düne aus die drei verschiedenen Schlotgruppen überblickt. Zu seinen Füßen rinnt der feine, weiße Sand. Wind und Regen bliesen und wuschen schwarze Urnentrümmer und schmale, graue, kantige Feuersteinsplitter frei. Vor undenklichen Zeiten lag ein Fischerdorf hier auf dem Sandberge. Während die meisten Männer auf dem See auf Fang fuhren, blieb ein Mann zurück, grub Feuersteinknollen aus dem Sande und schlug nach uralter Technik Beile, Messer und Sägen daraus zurecht, und ein anderer holte Ton und formte Töpfe und Schalen daraus.

Im Sande liegt ein Knochenstück. Es ist ganz leicht. Jede Spur von tierischem Stoffe ist daraus verschwunden; das reine Kalkgerüst blieb zurück. Es ist das Stück von der Schädeldecke eines Menschen, eines der Fischer, Töpfer oder Flintsteinmesserschläger der alten Siedelung. Daneben liegt ein rostiger Nagel.

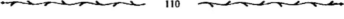

Läge noch ein Stückchen grüner Bronze daneben, wie sie sich vielleicht hier auch finden mag, so hätte man die Leitmetalle aus den drei wichtigsten Abschnitten der menschlichen Kulturgeschichte beieinander, den bearbeiteten Feuerstein, die Bronze und das Eisen.

Dort pfeift die Lokomotive der Kleinbahn. Von der anderen Seite geht ein Zug der Staatsbahn ab; man hört sein Fauchen; auf der Landstraße lärmt ein Kraftwagen dahin; die Torflowrys rattern aus dem Moore heran; aus dem Laube der Pappeln an der Landstraße blitzen die weißen Isolatoren der Telegraphenstangen heraus; ein Radfahrer flitzt über den festen Weg, der von der Landstraße aus nach dem Dorfe führt; über dem Walde da unten wandert langsam eine runde Kugel, an der ein Körbchen hängt; ein Militärluftballon ist es. Wie weit wir es gebracht haben! Und wir haben außerdem Röntgenstrahlen, Radium- und Serumtherapie, drahtlose Fernsprechung, rauchloses Pulver, Fernrohre und Mikroskope und sind trotzdem in der Technik von der Zeit, in der der Mensch zuerst das Eisen schmolz und formte, nicht so weit entfernt, wie der Mensch, der zuerst Eisen bearbeitete, von dem, der sich mit Bronze behalf, und der Mensch der Bronzezeit von dem des Steinzeitalters. Streng genommen war die Steinzeit die Urzeit, die Bronzezeit das Mittelalter, und mit dem Eisen begann die Neuzeit.

Heute hat der Fortschritt Eilzugsgeschwindigkeit angenommen. Es gibt kein dörfliches Leben mehr, keine ländliche Abgeschlossenheit. Rad, Telephon, Landstraße, Eisenbahn, Kraftwagen verbinden Großstadt und Kleinstadt, Kleinstadt und Dorf. Düne und Moor die seit Jahrhunderten Urlandsinseln in dem Kulturlande bildeten, verschwinden. Das Dorf baut die Düne, das Torfwerk das Moor ab. Hier entsteht Acker, dort Wiese. In fünfzig Jahren ist die Düne verschwunden, ist das Moor Bauland. Dann knattern Luftfahrzeuge über die Wälder, und der Gemeindevorsteher bekommt jeden Morgen von der Wetterwarte drahtlos den Wetterbericht. Kein Bauer mäht dann mehr mit der Sense; die Maschine tut die Arbeit. Unter den hohen Föhren auf der Düne stehen bunte Bauten; ein Genesungsheim entstand da, und reiche Stadtleute haben dort ihre Sommerhäuser, denn dieselbe Eisenbahn, die dem Lande die Leute nimmt, bringt ihnen wieder Menschen.

Wer das alles nicht glauben will, der denke daran zurück, wie es vor fünfzig Jahren hier aussah, oder vor fünfundzwanzig, oder vor zehn, als noch kein Lowrygeleise die Düne zerschnitt und hinter dem Moore sich noch nicht die Schlote der Torfwerke erhoben, noch kein Mensch an Kali dachte und der Bauer darüber gelacht hätte, wäre ihm gesagt, die Dörfer bekämen Bahnhöfe, und die Fuhrwerke würden ohne Pferde fahren. Und heute sind die Bahnhöfe da. Als das erste Automobil durch das Dorf dahinrappelte, warfen die Schnitter alles fort, was sie in den Händen hatten, und eine alte Frau sagte das Ende der Welt an. Heute dreht kein Mensch mehr den Kopf, tobt ein Kraftwagen mitten durch das Dorf, und selbst ein Luftballon macht nicht all zu viel Aufsehen mehr. Die Zeiten ändern sich heute recht schnell. Die Mädchen tragen ſich halbſtädtiſch und ſingen ein Lied, das in Berlin in Muſik geſetzt wurde; rechts faucht die Bahn, links flötet die Bahn, und in der Mitte ſteht die alte Düne und denkt an den Tag, als hier zuerſt Menſchen auftauchten und ſich unter den Föhren hütten aus Pfahlwerk und Plaggen bauten und glücklich waren, wenn ſie eine Säge aus Feuerſtein hatten, mit der ſie die Bäume abſchnitten, denn gar zu umſtändlich war bislang das Verfahren geweſen, Span um Span mit einem ſcharfen Steinſplitter von dem Holze zu trennen.

Damals ahnte der Düne ſchon Dummes, und als die Bronze aufkam, wurde ihr recht betrübt zu Sinne. Als aber gar das Eiſen Mode wurde, da ſah ſie ein, daß es mit ihr aus ſei, und wenn auch noch mehr als ein Jahrtauſend darüber hin- wegging, ehe es ſo weit kam, der Sandberg rechnet anders als die Menſchen, und ein halbes Dutzend Jahrhunderte ſpielt bei ihm keine Rolle.

In den letzten zehn Jahren geht ihr aber der Fortſchritt doch zu ſchnell. Wo vor zehn Jahren der Wind mit dem Sand ſpielte, ſteht heute Roggen; wo damals Heide wuchs, bollwerkt jetzt die Kieferndickung; jedes Jahr bekommt das Moor mehr grüne Flecke, und jeden Tag weht der Wind mehr Kalkſtaub von der Landſtraße, und der Klee, den die Vögel herbringen, und der früher totging, wenn er auflaufen wollte, hungert ſich durch und kommt hoch. In wenigen Jahren wird ſie ver- ſchwunden ſein, die Düne.

Frau Einsamkeit

Die Einsamkeit wollte ich haben, nicht die schmerzliche, traurige, verlassene, die nicht, aber meine stille, gute, kluge, liebe Einsamkeit, die mir zuredet mit leisen Worten, die mir ihre stillen Lieder singt und mit mir geht, stumm und froh, durch die braune Heide, durch große, ruhige Weiten, die mir lieber sind als der schönste Wald, als die gewaltigsten Berge, als die herrlichsten Wasser.

So wanderte ich von Bielefeld über sonnige Höhen, wo die goldenen Ziströschen im dürren Grase brannten, durch alte Wälder, in denen kein Vogel mehr sang, über hohe, braune Heidhügel, deren strenge Farbe ein dürftiger Rosenschein milderte, nach Oerlinghausen und weiter zur einsamen Senne, dem Lande, das nie der Wanderer besucht, das nie die Neugier betritt, in dem die Menschen so spärlich sind und die Häuser so dünn gesät; ziellos und planlos wollte ich wandern, den Zufall zum Handweiser nehmend und die Wagengeleise als Straße, keine Karte, kein Reisebuch in der Tasche, die von Sehenswürdigkeiten reden und schönen Punkten, wo viel Volk ist und die Menge sich staut.

So stieg ich bergauf, an der Hünenkapelle auf dem Tönsberge vorüber, durch Buchenwald, in dessen Schatten die Bich-

Da draußen vor dem Tore.   8

beerſträucher ſtrotzten vom Segen der Waldfrau, vorüber an
Quellſümpfen, mitten durch enkeltiefen Treibſand, bis ſie vor
mir lag, die herbe Senne. Und da ſah ich ſie auch, ſah das
gute Geſicht der ernſten, ſtillen Frau, und meine Augen nur
grüßten ſie, Frau Einſamkeit. Um ihren Kopf wehte ein
zarter grauer Schleier, um ihre ſtarken Glieder floß das
braune, gelb geflammte, roſig überhauchte, grün beſetzte vornehme Kleid, das langhin ſchleppte und den Treibſand mül-
mend aufwirbeln ließ; und ſo ſtolz ſie iſt und ſo langweilig
ſie ſein kann bei lautem Volk, mich mag ſie gern, und mir iſt
ſie gut, weil ich gerade ſo ſtill bin wie ſie und nur froh bin
bei ihr; denn ſie iſt eiferſüchtig und duldet keinen neben ſich;
und ſo legte ſie die feſte, angebräunte, ſchöne Hand in meine
und ſchob ihren Arm unter meinen und ging mit mir, den
Rand der Senne entlang.

Einen Teppich hatte ſie breiten laſſen unter unſeren Füßen,
weich und ſchön. Blühende Heide war es und ſchneeweißer
Sand und blaues Büſchelgras, geſtickt mit goldgelbem Habichtskraut; und da Grauduft den Blauhimmel verbarg, ſo hatte ſie
ein Stück Himmel heimlich mitgenommen und ihn zerpflückt
und gab den Stückchen Leben und ſtreute ihn nun vor uns
her, daß er tanzte über die roſige Heide, ein Gewimmel kleiner
blauer Falter, die jeder goldenen Sternblume einen Kuß gaben
und immer weiter vor uns hertanzten, leicht und luftig. Und
auch ein bißchen Sonne hatte ſie geſtohlen und in große, gelbe
Schwalbenſchwänze verwandelt, die vor uns hinſchwebten. Und
um jedes dürftige Heidblütchen ſummten die Immen, und überall

fiedelten die Heimchen, und der Föhrenwald brummte undeut-
liche Lieder in den Bart.

Ach, was war das schön den Morgen, als dann die Sonne
uns lachte! Alles so ruhig, so groß, so sicher weit und breit
zur Rechten, wo aus der weiten Heide ein weißer Weg
schimmerte, ein spitzer Turm glänzte, ein rotes Dach leuchtete
in dem Braun und Grün, und links, wo am Berg im Buchwald die Sonne die Farrne golden bemalte und das Moos
leuchten ließ. Der Buchenwald links so laut und lebhaft im
Wind, und rechts die Senne, still zuhörend seinem Geplauder.

Einmal nur fühlte ich den mahnenden Fingerdruck meiner
Begleiterin auf dem Arm und blieb stehen. Mit den Augen
zeigte sie nach dem Horst windzerzupfter Krüppelföhren. Dahinter schob es sich rot zum Holze hin mit langen schlanken
Läufen und beweglichen Lauschern und großen, dunklen Augen,
hier noch ein Hälmchen rupfend, da ein Blättchen nehmend,
ein Rudel Wild. Lautlos glitt das Wild über den Weg und
zerfloß im Schatten der Buchen. Und noch einmal drückte
Frau Einsamkeit meinen Arm und lächelte. Da standen zwei
Frauen, halb gebückt, noch die Braken, die sie zur Feuerung
suchten, in den Händen, und sahen uns still verwundert an.
Wann kommt hierher wohl je ein Stadtmensch? Stumm nickten
sie auf unser stummes Nicken und sahen uns nach.

Als die Sonne den Morgennebel fortjagte, da summten
fröhlicher die Immen, tanzten vergnügter die Bläulinge, gold-
grünschimmernd flog vor uns her der Sandläufer flinke Schar,
silberflügelige Jungfern umknitterten uns. Auch der Wind lebte

8*

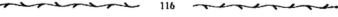

auf und stieß die ernsten Föhren in die Seiten, daß sie
mürrisch-lustig brummten, und den Triebsand nahm er und
begrub darin die schwarzen Föhrenäpfel und die silbergrauen
Wurzeln und krümelte ihn auf die sonnenfaulen Eidechsen, daß
sie ängstlich in die Heide schlüpften.

Ein Mensch begegnete uns, ein Mädchen, groß, blond,
blauäugig, das mit den starken braunen Armen die schwere
Karre voll Plaggen vor sich hinschob in dem Mehlsand. Freund-
lichernst nickte sie uns zu. Ob sie wohl wußte, wie schön sie
war in ihrem selbstgewebten Rock, mit dem schlichten Haar?
Der Hermann da oben schien sie zu grüßen, das Bauernmäd-
chen, mit hochgerecktem, grünblitzendem Schwert als eine Ur-
tochter von denen, die als Mütter ihm Söhne gaben, Feinde
zu würgen und Räuber zu schlachten, gleichgültig und er-
barmungslos, wie es das Raubzeug verdient. In den grünen
Wald gingen wir dann, wo die zarten Farrnfächer im Winde
zuckten und die Schatten mit den Lichtern Kriegen spielten, bis
schwarzweiß und grün der Dörenkrug uns winkte zur Rast
unter schattigem Lindenbaum, zu kurzer Rast, und dann nahm
uns wieder auf kienduftiger Wald, eines toten Fürsten Jagd-
revier. Hier hatte er geweidwerkt Tag für Tag, der Eisbart
Waldemar, und auf den edlen Hirsch gepürscht in Abendnebel
und Morgentau, in Frost und Glut. Wer weiß, was ihm das
Leben getan hatte und die Menschen, daß er ihnen aus dem
Wege ging und immer da sein wollte, wo Fährten den Boden
narbten und Schälstellen die Rinden zerrissen, wo unter den
Schalen des Edlen das Geknäck brach und wo des Starken

Brunſtruf klang über Berg und Tal, wo der grimmge Baſſe
ſeine Gewehre an den Knorrwurzeln der Eichen wetzte und
Wodans Rabe über braunzapfigen Wipfeln krächzte. Hier
lebte er mit Frau Einſamkeit, bis ein Stärkerer ihm zurief:
„Jagd vorbei!"

Am Donoper Teich ſtanden wir dann lange und ſahen in
die klare Flut, in der Nixenkraut grün vom Grunde wucherte;
uralte Bäume flüſterten und rauſchten, und der Bach ſchwatzte
und ſchwatzte, wie ein Kind in ernſter Leute Kreis. Aber laute
Menſchen ſtörten uns fort von dem ſtillen Ort, und weiter zogen
wir, an tückiſchem Machangel und waffenſtarrendem Fubuſch
vorbei, an toter Eichen Geſpenſterleibern, an Dickungen, in
denen die Sauen blieſen, auf Lopshorn zu, des toten Weid-
manns Jagdſchloß. Der Markwart meldete uns krächzend, die
Amſeln ſchimpften, und mißtrauiſch ſah Hirſchmann, der rote
Schweißhund, den unbekannten Landläufern entgegen, bis ſeine
feine Naſe ihm verriet, daß wir wohl wert wären einer freundlichen Begrüßung. Ein Stündchen Ruhe in kühler Hopfenlaube,
bis die laute Neugier auch hierher kam und uns weiter trieb
auf die weiße Kalkſtraße, wo uns Rieſenbuchen Schatten gaben,
bis uns mit Sand und Heide und Föhren die Senne wieder
aufnahm. Unter dem Schatten der Föhren im dürren Graben-
gras ſchauten wir ſtumm in die lange, breite Trift, die ſchwarze
Föhren ummauerten. Wir träumten von alten Tagen, wo noch
das Elch hier ſtand. Unſer Traum trat uns in die Augen.
Zog es da nicht heran, hoch im Widerriſt, zwiſchen den Stämmen?
Schnaubte es da nicht laut und wild? Die freien Sennepferde

waren es, wohl dreißig, die da, ledig von Zaum und Eisen, nackt und ungeschirrt, über die Trift zogen, die Nasen im Wind, wie Wild. Und eins warf sich in den Mehlsand der Trift und fühlte sich, daß es mülmte, und noch eins, und wieder eins, eine gelbe Wolke qualmte zwischen den schwarzen Föhren, aus ihr zuckten Beine und Hälse und Schweife, und ein Gewieher erklang, so frei, so stark, wie nie ein Roß wiehert, das Zaum und Zügel kennt. Wir lagen mäuschenstill im Grase, an den freien Tieren die Augen labend, bis Stück für Stück aufstand und weidend und wedelnd drüben in den Föhren verschwand. Lange noch hörten wir ihre Glocken klingen.

Dann tauchten wir wieder in der Senne unter, in der Kammersenne, die weit und unabsehbar vor uns lag, immer gleich und immer anders, so arm und doch so reich. Stunde auf Stunde verrann, keine Seele begegnete uns. Da ein Dach, dann wieder eine Stunde Einsamkeit, dann ein Hof, und wieder eine braune Weite, flache rosige Hügel, eine krüpplige Föhre, einige Sandblößen als weithin sichtbare Merkzeichen darin, aber kein Bach, kein Teich, nur die arme dürftige Heide. Ganz langsam gingen wir hier mit weitem Herzen und offenen Augen, glücklich und still, noch eine Stunde und noch eine, bis die Straße nach Horn in Sicht kam und viel laute Menschen.

Erst dann zog Frau Einsamkeit ihren Arm unter meinem fort und nickte mir zu, und das Nicken sagte: „Auf Wieder= kommen!" Und mein Nicken sagte auch: „Auf Wiedersehen, Frau Einsamkeit!"

Der Hudeberg

In der Bergkette da hinten fällt die mittelste Kuppe am meisten auf, denn kahl ist ihr Haupt, und kein Wald verhüllt sie. Kein Turm zerschneidet den Schwung ihres runden Scheitels; keine jähe Klippe starrt aus ihrem Grün, kein schroffer Absturz gähnt an ihrem Hange, und doch springt sie unter ihren Nachbarn am meisten in die Augen. Das macht, weil ihr gewaltiger Kopf kahl ist und nur rechts und links je einen Streifen Wald aufweist, an ein Manneshaupt erinnernd, dessen Scheitel sich lichtete, während um die Schläfen noch das volle Gelock sich hielt. Zu allen Zeiten zieht dieser Berg deshalb die Augen auf sich, wintertags mit breiter, weißer Fläche oder, schmolz die Sonne den Schnee, mit der kupferroten Pracht der Buchenjugenden, im Frühling mit dem lichten Grün zwischen dem ernsten Ton der Buchen-waldung und im Vorherbst mit dem leichten Rosenschein, den das Heidkraut ihm schenkt.

Mögen die anderen Berge rechts und links ihn mit dem Brausen ihrer Waldwipfel höhnen, daß sein Scheitel gelichtet ist, es rührt ihn nicht. Er ist frei, sie sind Knechte. Er wehrte sich gegen die Aufforstung, und er wahrte sich sein altes Hude-recht, das den andern Bergen die Beforstung nahm. Und weil er sein urdeutsches Gesicht behielt, der uralten Sitte treu blieb, schmückte ihn die Sage mit manchem Strauß, weiß seltsame Dinge zu melden von ihm und dem Uhlengrunde und ließ ihm seinen alten Namen, während die Nachbarn von halbgelehrten Besserwissern mit Benennungen, aus Büchern herausgelesen, beunglückt wurden.

Mit Bergen und Hainen, die so ganz ihre alte Art behauptete und die neuen Moden nicht mitmachten, hat es wohl immer besondere Bewandnis. Die breite, flache Kuppe des Hubeberges ist so recht geeignet, Versammlungen abzuhalten. Zu gewissen Zeiten werden die Weidebauern, die einst hier saßen, dort zusammengekommen sein, die lange Axt im Lendengurt und den Speer in der Faust, sei es, daß es galt, Wode und Thor mit Opferbrand zu ehren, ein fröhliches Grenzfest zu feiern, oder aber hierher das Vieh zu flüchten und dem Feinde zu wehren, wer es auch sein mochte, den nach Land hungerte, Römer, Thüringer oder Franke, denn allerlei Schluchten und Rinnen umziehen den Berg, gute Verstecke bildend.

Zu jenen Zeiten wird, bis auf das Dorngestrüpp an den Flanken und bis auf einzelnes Buschwerk auf seinem Scheitel, der Berg so kahl gewesen sein wie heute noch. Heute, wie damals, geht das Vieh dort noch, verbeißt die Buchenjugenden und hält den Fichtenanflug kurz, so daß es aussieht, als habe ein Gärtner der Zopfzeit hier seine Kunst ausgeübt und die Buchen und Fichten und Weißdornbüsche unter der Schere gehabt. Jahr für Jahr strebten die Bäumchen und Sträucher in die Höhe, aber Jahr für Jahr wurden sie geduckt, und so gewöhnten sie sich den Drang nach oben ab, trieben Zweig neben Zweig und wuchsen sich zu krausen Kugeln aus, den Hänflingen, Braunellen und Goldammern sichere Nistplätze bietend und treffliche Unterschlüpfe für Eidechse, Glattnatter und Waldmaus, wenn Raubwürger und Turmfalke sie bedrohen, Reinke Voß dort herumschnüffelt oder Meister Gräving, der Dachs, dort nach Untermast sticht.

Es ist ein köstliches Weilen hier auf der freien Höhe, von der die Blicke nach beiden Seiten über die bunten Berge weithin in die Lande schweifen können, hier sich an dem Silberbande des Baches, zu erfreuen dort an dem fernen Schimmer des Flusses. Und sind die Augen der Ferne müde, die Nähe bietet immer noch genug. Zwischen den seltsamen Buchenzwergen und Fichtenkrüppeln blüht aus dem heidwüchsigen Boden manches zierliche Kräutlein, an lichten Stellen die blaue Teufelskralle und an feuchten Schattenorten der goldene Waldmeyer, die Kanten der versteckten Klippen überzieht die Fetthenne mit leuchtend gelben Polstern und ihren Grund der Quendel mit streng duftendem Rasen. Allerlei buntes und blitzendes Kleinvolk schwirrt und flattert von Blüte zu Blüte, und rundumher schmettern und schlagen Baumpieper und Ammer, Braunelle und Laubvogel und aus dem Walde im Grunde kreischt laut der Häher, den Bock vor dem Wanderer warnend.

Sie sind dünn gesät hier am Berge, die Rehe, und auch der Hase gibt es nicht viele; Hudebetrieb und Wildhege vertragen sich zusammen wie die Sonne mit der Butter, und wo das Vieh weidet und die Ziege grast, zieht sich das Reh zurück. Wohl findet man hier und da in dem Niederwalde die Betten und Plätze der Rehe oder auf einer Blöße einen Weidenstrauch oder einen Wacholderbusch, deren zerfetzter Bast den Übermut eines Bockes kündet, aber es weht für einen guten Rehstand hier am Berge eine zu scharfe Luft; der Hase, der dreimal auf dem-selben Passe zur Aesung rückt, läuft am vierten in den Dampf hinein, der hinter einer Krüppelfichte hervorkommt, und der Bock kann es nur bis zum Sechser bringen, wenn er keinen festen Wechsel hat und erst nach der Uhlenflucht aus der Dickung tritt. Trotz aller Förster und Gerichte spukt hier immer noch ein Rest von dem uralten Gemeinfreiheitsrecht auf Wald, Wasser, Weide und Wild.

Alles auf der Welt aber hat seine Schattenseite, und ein Berg erst recht. Aber der Sonne ist doch mehr hier als des Schattens. Wenn früh am Morgen der Tau das Gras biegt, und alle Büsche Silbergeschmeide tragen, aus den Gründen Amsel und Graudrossel singen, und in beiden Tälern die Ort-schaften aus dem Nebel tauchen, wandert es sich köstlich hier und nicht minder zur Mittagszeit, wenn aus blauem Himmel die Sonnenglut auf die Heide fällt und an allen Büschen die süßen Beeren reifen. Am schönsten aber ist es dort oben, wenn die Sonne zur Rüste geht, am Hange das Lachen und Kreischen der kleinen Ziegenhirten im Walde verhallt und vom Holze her des Kauzes hohler Ruf erschallt.

Seltsame Stimmen erheben sich dann, und ein eigenes Raunen kommt über den Berg, und wer genau zuhört, kann heimliche Dinge vernehmen, von den tapferen Berghirten, die sich hier der Feinde erwehrten, und von dem Leutepriester, der sich mit dem bösen Feinde herumbalgen mußte. Es gehört schon ein tapferes Herz dazu, nächtlicherweile, wenn unten im Walde der wilde Jäger sein Gejaid abhält mit Hussa und Horüdho, hier sich am Sausen und Brausen der Wälder und an der Wolkenhatz um den vollen Mond zu freuen, und heimlicher ist es am hellen Tage, wenn kein Nachtvogel fliegt und vom Hange der frohe Singsang der Kinder ertönt, die ihre Ziegen in dem Heidelbeergestrüpp weiden lassen.

Seine beste Zeit aber hat der Berg, wenn die Waldfrau ihre Gaben streut, im hohen Sommer, wenn an jedem grünen Sträuchlein die schwarzen Bickbeeren glänzen und aus dem Gebüsch die roten Himbeeren leuchten, oder später im Jahre, wenn die zackigen Ranken der Brombeeren reichlich die gute Kost bieten.

Aber für große Leute allein ist es dann dort nichts; Kinder müssen dabei sein, die nach Herzenslust pflücken und schmausen und einheimsen dürfen von den blauen und roten und schwarzen Gaben, die reichlich und gern ihnen gibt der Hudeberg.

In der Marſch

 in Sonntag iſt es und ein Sonnentag. Sengende
Mittagsglut zittert auf den Dächern von Oſterholz-
Scharmbeck. Alle Fenſter ſind geſchloſſen, daß die
Hitze nicht hineindringt in die kleinen Stuben, denen die Bäume
vor den Türen Schatten geben und Kühlung.

Ein paar Kinder ſpielen vor der Tür des Hauſes, ſonſt iſt
es ſtill und leer in der Straße. Und verſtärkt wird die Stille
durch das ſtille, braune Geſicht des alten, baumlangen, weiß-
bärtigen Fiſchers, der, ein Knie auf dem roten Binſenſtuhl, die
Arme auf den Zaun geſtützt, rauchend ins Leere ſieht. Er wird
uns nach Worpswede fahren. Langſam und bedächtig macht
der Weißbart das ſchwarze Torfſchiff los, ſetzt den Maſt ein
und ſtakt mit dem langen, eiſenbeſchlagenen Ruder den Kanal
entlang, von deſſen Ufern purpurner Weiderich nickt.

Ein weißer Falter begleitet uns ein Weilchen. Dann
tanzt er über die niedrigen Weidenbüſche auf die grüne Wieſe,
weiter, immer weiter, bis er den Augen entſchwindet, die hängen
bleiben an der weiten grünen, von dunklen Wäldern umrahmten
Fläche, auf denen buntes Vieh weidet, und über die die Schwalben
ſchießen. Der Wind friſcht auf. Unſer Fiſcher wiſcht mit der
groben, braunen Hand den Schweiß von dem braunen Geſicht

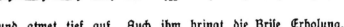

und atmet tief auf. Auch ihm bringt die Brise Erholung.
Das Staken, das schweißerpressende, ist zu Ende. Das Segel
wird los gemacht, und hinaus geht es aus dem engen Kanal
in die breite Hamme.

Von uns spricht niemand. Wir wollen nicht sprechen, sehen
wollen wir, die Augen baden in dem satten Grün unendlicher
Wiesen, die Augen laben an der braunen, blau schimmernden
Flut, in der sich die weißen Wetterköpfe so seltsam spiegeln,
in die die Fische, vor Wählligkeit sich werfend, silberne Kreise
ziehen, und in der die starren, dunklen, merkwürdigen Binsen
ihrem Spiegelbilde zunicken. Der Mummel hellgrüne, breite
Blätter liegen faul am Uferrande, die goldgelbe Blume schwankt
räumend hin und her in des Kahnes Wellenschlag, trotzig reckt
das Pfeilkraut seine Spieße, schläfrig rauschen die Schilfrispen,
die der Wind aus der Unterstunde jagte, und unwillig schüttelt
die Blumenbinse, die stolze, ihr rosiges Blütenhaupt.

Sprecht nicht, seht lieber! Seht dem Storch zu, der bedächtig
über das Grün wandelt, den Enten, die am Ufer schnabbeln,
dem Silberflügelgeflimmer der Wasserjungfern am Schilf, dem
Tanz weißer Falter an roten Blumenkerzen, dem Blitzen und
Leuchten der Wellen am Bug.

Wie groß und anders alles aussieht gegen die ewige Ruhe
des grünen Plans; am Himmelsrande die Bäume, so schwarz
und schwer, jede Blume so leuchtend, jeder taumelnde Kiebitz
riesig, jede Krähe, die japsend auf dem Pfahl sitzt, ein auf=
fallender Fleck. Und dort unten, das Segel, riesenhaft hoch
und breit und düster macht es sich hier, wo alles so flach und

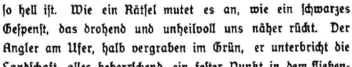

so hell ist. Wie ein Rätsel mutet es an, wie ein schwarzes
Gespenst, das drohend und unheilvoll uns näher rückt. Der
Angler am Ufer, halb vergraben im Grün, er unterbricht die
Landschaft, alles beherrschend, ein fester Punkt in dem fließen-
den Grün weit und breit.

Ein kalter Schatten fällt auf die warme Landschaft. Im
Nu hat die schwarze Wolke alles in andere Töne getaucht.
Das warme Hellgrün der Wiesen hat sie kalt verdunkelt, das
leuchtende Wasser getrübt. Aber da, wo ihre kalte Macht auf-
hört, blitzt und gleißt die Flut in strahlendem Silberweiß,
leuchtet grell und heiß das Grün der Wiesen.

Grobe Stimmen weht der Wind heran. Stöhnend, jappend
arbeitet sich ein Schleppdampfer hinter uns her, einen Torfbock
im Seil. Dann klatscht es gegen unsern Kahn, lange Männer
handhaben die langen Ruder, braune Gesichter nicken uns zu.

Vor uns kräuselt sich die Flut. Dort zappelt auch das
Schilf reger. Und jetzt faßt auch uns der Wind fester in das
schwarze Laken. Still war es um uns, als wir losfuhren, laut
wird es jetzt. Aber ein anderes Lied wie im Walde singt
hier der Wind. Dieses Geruschel, dieses Gekuschel der Binsen,
das Flüstern des Schiffes, das Rauschen des Röhrichtes, das
Kluckern des Wassers, ganz anders klingt es wie Kieferngesumm,
Buchengeflüster und Eichengemurr. Zu jedem Landschaftstext
spielt der Wind eine andere Weise.

Torfschiffe segeln an uns vorüber. Ernste, glattbackige
Männer sitzen am Steuer, wortkarg und stumm. Ein Nicken,
ein tiefer Zuruf ist ihr einziger Gruß. Ein einziger von den

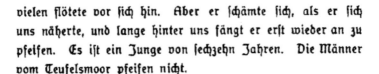

vielen flötete vor sich hin. Aber er schämte sich, als er sich uns näherte, und lange hinter uns fängt er erst wieder an zu pfeifen. Es ist ein Junge von sechzehn Jahren. Die Männer vom Teufelsmoor pfeifen nicht.

Die Segel, die so todesschwarz und so nachtdunkel sind, wenn sie uns begegnen, sie glühen hinter uns auf wie rotes Gold, hinter uns, von der Sonne durchschienen. Als ich es entdeckt hatte, sah ich ihnen nach. Es war mir ganz so, als wenn sie ein Lächeln überflog, die ernsten Segel, ganz dasselbe stille Lächeln, das die ernsten Gesichter der Schiffer erhellte, wenn sie uns nachsahen.

Immer mehr Segel rauschen an uns vorbei, eins im Kiel-wasser des anderen. Vor uns lauter schwarze, hinter uns lauter rotdurchleuchtete, und jedem muß ich entgegensehen, wenn es schwarz heraufkommt, wenn goldrot leuchtend es hinunterfährt.

Eine Stunde fahren wir schon. Näher kommt uns schon der Weyerberg mit seinem dunklen Baumgrün und seinem hellen Dünengelb, mit seiner Mühle und seiner Kirche. Aber in der Nähe, da blitzen silbern die Binsenstiele über der Flut, schwenkt der Kalmus seine gekräuselten Blätter, schaukeln sich Mummelblätter und nicken rosige Dolden über weißen Blumen-rispen, zucken des Rohres Fahnen, auf den Altwässern schnattern die Enten zwischen den weißen Nixenblumen, über die Wiesen gaukeln die Kiebitze, schweben die Stare, und eine silbergraue Seeschwalbe begleitet uns ein Stück Weges, bis sie umkehrt und weiter jagt, immer auf und ab den Fluß. Und immer Segel auf Segel, Grün auf Grün, noch eine Stunde lang, und

dann ein Marſch durch Staub und Sand, und Raſt unter den Linden Worpswedes, wo es lebt und webt wie in der Stadt, von Wagen und Stadtmenſchen.

Noch ein Stündchen Schlendern über dürre Dünen, Ausſchau auf das unendliche Moor, ausgeſtreckt im roſigen Heidekraut, umſchwirrt von Libellen, umgeigt von Heuſchrecken, und dann den ſtaubigen Weg hinunter, daß es hinter uns mülmt wie hinter Schäfer und Herde, zu unſerm Torfſchiff.

Und nun ſprecht wieder nicht, bis wir an Land ſind! Laßt den Kiebitz rufen und die Möwe kreiſchen, bis ſie alle über- tönt des Reihers heiſerer Schrei, der breitflüglig in das Abend- rot rudert. In andere Töne kleiden ſich jetzt Waſſer und Wieſen, Weite und Nähe. Geſpenſtiger noch ſehen die ſchwarzen Segel vor uns aus, verlaſſener noch klingt des Viehes Gebrüll.

So ſchwer, ſo ſatt, ſo fett iſt die Landſchaft, die ſo luſtig war und ſo hell und ſo leicht in der Mittagsglut. So ver- ſtohlen klingt das Geplätſcher der Waſſer, ſo heimlich das Flüſtern drs Schilfes. Unzerſtörbare Ruhe, mächtiger Frieden erfüllt das Land. Des Reihers Ruf, der Enten Schrei, auf- tauchend und verhallend, verſchärfen die Stille nur, und die hellen, nickenden Blumen am Ufer, viel märchenhafter ſcheinen ſie uns jetzt.

Nicht ſprechen! Das paßt nicht zu dem Blaugrau des Himmels, zu den ſanften Gluten am Himmelsrande, zu der leiſen Flut der lauen Luft, zu dem einſamen Abendſtern vor uns, zu den goldüberſchienenen Fluttümpeln, in denen ſchwarz und ſtarr die Binſen ſtehen, zu den Fledermäuſen, die im Zickzack uns

umkreijen, zu den fernen, jtillen Segeln, die immer mehr in die jdwarze Nacht hineinjchwimmen, die uns immer näher rückt.

Schon hat jie am Himmelsrand die letzten Sonnenrojen gepflückt, jdon die dunklen Bäume verhüllt und die Wiejen ver= jchleiert; jie wirft ihre Schatten hinter uns auf die Flut, ver= dunkelt die Ufer und die Blumen und Büjche und rückt dicht an unjer Schiff heran.

Und jo treiben wir dahin. Ein jdwarzes Segel führt unjer jdwarzes Boot auf jchwarzer Flut zwijchen jchwarzen Wiejen. Und jtumm und jdweigend jchauen wir hinauf nach dem einen goldenen Stern da hinten über der Marjch.

Die goldene Straße

Keiner unserer Bäume genießt so wenig Achtung wie die Pappel. Von der Linde und der Tanne singt es in vielen Liedern, die Eiche und die Buche fanden ihre Dichter, Ulme und Esche gingen nicht leer aus, die einst mißachtete Kiefer wird viel besungen; die Pappel allein muß beiseite stehen.

Zum Teil ist wohl daran ihr Name schuld, dem der Fluch lächerlichen Klanges anhaftet, zum Teil der geringe Nußwert, den ihr Holz heute noch hat. Backtröge und Holzschuhe, Dinge gemeiner Art, liefert es nur.

Der Landmann liebt die Pappel nicht. Sie wirft zuviel Schatten um sich her und hagert den Boden aus. Im Parke und im Garten ist sie auch nicht geschätzt; zu viel Geschmeiß lebt auf ihr und in ihr.

Als der Boden noch billiger war und es auf eine Rute Brachland mehr oder weniger nicht ankam, pflanzte man sie gern an die Landstraße, der Elster zur Freude, die im hohen Wipfel ihr Dornennest baute und dem grünen Spechte zur Lust, der aus Rinde und Holz Bockkäferlarven und Glasflüglerraupen klopfte. Allmählich verschwanden die stolzen Bäume von den Straßen und machten anderen Platz, und nur hier und da noch

durften fie fich halten, wie hier. Einft verband die Doppel-
reihe der Pappeln hier die beiden Dörfer. Die Hälfte steht
nicht mehr; man schlug sie. Langweilige Eschen traten an
ihre Stelle. Nur ein Rest steht noch an der Straße, dem
Gasthause gegenüber, und winkt den Genossen hinter dem
Flüßchen, von denen man sie trennte, rauschende Grüße zu.

Seltsam fremd klingt das Rauschen dem, der schärfer darauf
hinhört. Das klappernde Geraschel, dieses wilde Geflatter, es
hat einen undeutschen Klang, weist auf südliche Herkunft. Die
Schwarzpappel ist der Baum der Steppe, deren Eintönigkeit
sie dort unterbricht, wo ein Fluß, ein See, eine Quelle ihre
durstigen Wurzeln tränkt. Dort bildet sie, mit der Weide
gesellt, den Baumschlag.

Einst tat sie das auch bei uns. Lange ist es her. In
jener Zeit war es, als, nachdem die Eiszeit vorüber war,
Deutschland ein Steppengepräge trug, und die Saigaantilope
und das Steppenmurmeltier hier lebten. Südliche und östliche
Winde trugen die wolligen Samenkörner in das wüste Land,
und Pappel und Weide herrschten dort, wo Fichte und Kiefer
nicht fortkamen, bis der Weidebauer den Wanderhirten ver-
drängte und den Masthölzern, der Eiche und der Buche, die
ihm Fraß für seine Schweine lieferten, zur Vorhand verhalf.
Die Pappel aber mißachtete er und nur, um Tröge und Schuhe
zu gewinnen, duldete er sie.

War der Boden, der das Wohnhaus trug, zu frisch, als
daß die Eiche gedeihen wollte, und wollte er bald Blitzschutz
für sein Heim haben, dann holte der Mensch die schnellwüchsige

9*

Pappel heran. Und auch, wenn nach Kriegsläuften das Holz
bei den Dörfern knapp war, mußte die Pappel aushelfen.
Hinterher aber wurde sie wieder vergessen, und nur an die
Straße pflanzte er sie, weil sie mit raschem Wuchse die kleine
Mühe lohnte, bis er fand, daß sie sich zu breit mache, und er
Bäume an ihre Stelle setzte, die bescheidener waren. So kam
es, daß die Pappel bei uns sparsam wurde, sparsamer, als es
nötig ist, denn sie ist ein schöner Baum und der Aulandschaft
stolzeste Zier.

Aber weil der Mensch meist vor sich hinsieht, statt nach
oben, weiß er von ihrer Schönheit nichts. Wenn Schnee auf
dem Lande liegt und die Landschaft keine frohen Farben hat,
dann sind es die kahlen Kronen der Pappeln allein, die in der
Sonne wie strahlende Fackeln leuchten und, ohne daß der Mensch
es weiß, sein Herz froh machen. Wenn die Wiese noch fahl
und der Rain noch kahl ist, bietet die Pappel ihm einen zarten
Frühlingsgruß. Sein Fuß zertritt die blutroten Blütenkätzchen,
die sie ihm auf den Weg streut, und er hebt nicht den Kopf
und schickt seine Augen nicht über sich, wo die purpurfarbigen
Troddeln in der Sonne glühen und sprühen. Auch späterhin,
wenn die jungen Blättchen die klebrigen Hüllen sprengen,
goldene Schüppchen unter seinen Füßen zerknistern und schwerer
Juchtengeruch seine Atemzüge erfrischt, freut er sich der neuen
Blätter nicht, die, fett und glänzend, von dem Lichte durchschienen, märchenfarben um das sparrige Astwerk weben.
Sommertags aber wuchten die Kronen schwarz und schwer und
verstärken die Farben des blühenden Geländes, und zum Schlusse

der fchönen Zeit hüllen fie fich in gleißendes Gold und leuchten
weit in das Land hinaus.

In diefen Tagen haben die Pappeln ihre güldenen Kleider
angezogen. Wie eine feurige Wand erheben fie fich in dem
grünen Lande, eine fchimmernde Halle bilden fie, ein loderndes
Dach, ein ftrahlendes Gewölbe. Zauberhaft fieht die Doppel-
reihe aus, liegt die Sonne darauf, und weit und breit ift nichts
zu finden, was ihr ähnlich ift, und die Birken, fo fchön fie find,
können fich damit nicht meffen, können nicht an die ftolzen
Bäume heranreichen, die einen goldenen Regen über den
Wiefenplan ftreuen und mit wildem Geplapper der Birken Ge-
lifpel übertönen.

Es ift ja rechts und links von der Straße viel zu fehen,
was fchön und fein ift: das weite, von kalten grünen Schatten
geftreifte, von warmen gelben Lichtern überfloffene Weideland,
die bunten Hagen, die ernften Kiefern, hier und da ein gold-
behängter Birkenbaum, der Waldfaum in der Ferne, fo zart,
wie hingehaucht, ein Kirchturm, wie eine rote Flamme gen
Himmel züngelnd, das luftige Windgewölk am lichtblauen
Himmel; was will das aber alles gegen die goldene Straße
fagen, in der Baum bei Baum in blankem Golde prangt und
mit lauter Stimme redet.

Vor der Brücke, wo keine Pappel fteht, fchimmern der
Maßliebchen Silberfterne im Grafe, leuchtet des Habichtkrautes
Goldröschen aus dem Grün. Hinter der Brücke find fie ver-
fchwunden. Alles Kleine, Zarte und Niedliche wird unfichtbar
vor dem gewaltigen Gelober der mächtigen Bäume. Das

Geruschel des Röhrichts im Ellerngebüsch des Grabens verweht im brausenden Gemurmel des goldenen Laubes, und selbst der Meisen scharfe Stimmchen gehen darin unter. Nichts ist hier als der weite Grund und die gelben Bäume, als die goldene Straße im weiten Grün.

Aber selbst auf das Grün des Wiesenlandes sind die herrischen Bäume eifersüchtig. Ihre Farbe soll es tragen, und so schütteln sie ihr Laub darüber hin. Die Blätter zucken und zappeln an den langen, dünnen Stielen, zerren und reißen, und haben sie ihren Willen durchgesetzt, dann hasten sie zum Grunde und decken sein Grün zu. Jedes einzelne hat seinen eigenen Flug. Eins gleitet dahin, schwebend wie ein Vogel, ein anderes tänzelt, einen Falter nachahmend, auf und ab; manche flattern wie Fledermäuse, unstet und regellos, etliche hüpfen auf lustige Art, einige zucken herunter, als litten sie Pein, diese haben es eilig und fallen steil herab, jene besinnen sich unterwegs noch eine Weile.

Eins nach dem andern reißt sich aus den Wipfeln los. Die heute noch grün und saftig sind, haben morgen gelbe Flecken und wirbeln übermorgen als goldene Falter dahin. Heute noch rauschen und brausen die gelben Wipfel, flirrt und flattert es in ihnen noch, heute noch und morgen.

Übermorgen aber sind vielleicht alle Kronen schon kahl und verschwunden ist die goldene Straße.

Der Wahrbaum

Faſt genau auf der Mitte zwiſchen den beiden Dörfern, die zwiſchen der Heide und dem Bruche liegen, ſteht an der Stelle, wo der Dietweg von dem Kirchwege geſchnitten wird, eine alte Eiche, die von einem Kranze von Machangelbüſchen umgeben iſt.

Da ſie auf offener Heide ſteht und weithin ſichtbar iſt, ſo iſt ſie ein Wahrbaum für die Gegend geworden, nach dem die Leute ſich richten, wenn ſie quer über die Heide gehen. Die Bauern nennen ſie die Taterneiche, denn es zieht keine Zigeunerbande durch dieſe Gegend, ohne daß ſie nicht unter dem Wahrbaum lagert. Das iſt ſchon von jeher ſo geweſen. Alle Zigeuner, die hier vorbeikommen, ſehen nach, ob die Banden, die zuletzt durchzogen, hier keine Wahrzeichen, durch die ſie ihre Fahrrichtung oder andere Dinge von Wichtigkeit kundgaben, hinterließen, und ſie ſelber laſſen hinwiederum Zinken zurück, zwiſchen Steinen, die den Fuß des Baumes umgeben, unauffällig angebrachte Kreuzchen aus Zweigen, Grasbüſchen oder Federn, mit einem farbigen Zwirnsfaden zuſammen gebunden, auch wohl gewiſſe mit Kreide gezogene Zeichen.

Es ſind immer dieſelben Bäume, die ſie zu ſolchen Kundgebungen benützen, und es ſind immer Bäume, die auch für

die ganze Gegend durch ihr Alter, durch ihre Größe oder durch
die Stelle, an der sie stehen, von Bedeutung sind. Letzteres ist
bei der Caterneiche der Fall, denn sicherlich ist die Stelle, auf
der sie steht, wichtig, und darum blieb sie, als die andern alten
Eichen gehauen wurden, stehen, damit die Wanderer, die den
Dietweg entlang zogen oder den Kirchweg fuhren, Schatten vor
der Sonnenglut oder Schutz vor einem Regenschauer finden
konnten.

Die Stelle ist aber auch wie geschaffen zum Ausrasten.
Man sieht von da weit ins Land hinein, über das Bruch mit
seinen beiden Einzelhöfen hinweg, über das Moor und bis zu
den Heidbergen mit ihren blauen Wäldern, aus denen hier
und da ein Hof sichtbar wird, und läßt man die Augen nach
rechts und links gehen, so überschaut man die heidwüchsigen,
mit vielen Hunderten von Machangelbüschen bestockten Abhänge,
einen Teil der Feldmark und der Wiesen, die die Bauern der
Heide und dem Bruch abgewonnen haben, das Mühlenholz,
aus dessen Eiche das moosige Strohdach der Mühle mit den
Pferdeköpfen an den Windbrettern des Giebels hervorsteigt,
den Bruchweg, zwei breite, sandige, von Birkenbäumen einge-
faßte Triften und allerlei Büsche und Wäldchen, die sich hier
ansiedelten, und zwischen denen dort und da ein Stück des
lustigen Mühlbaches hervorblitzt.

So wunderschön ist die Aussicht, und so gemütlich sitzt es
sich auf der Moosbank, die die Jungen zwischen den knorrigen
Tagwurzeln des alten Baumes gebaut haben, daß ich, mag ich
nun müden Schrittes von der Balz kommen oder straffen

Ganges zur Pürſch wallen, jedesmal erſt hier ein Weilchen
raſten muß; denn es gibt hier immer allerlei zu ſehen, das des
Sehens wert iſt, entweder den Schnuckenſchäfer an der Spitze
ſeiner zweihundertköpfigen, grauen Herde, an deren Flanken
ſeine beiden Hunde, der eine fahl, der andere grau, einher-
jagen, oder die Hütejungen, die mit hellem Peitſchenklappen
und lautem Prahlen das ſchwarzbunte Vieh die Trift
entlang treiben, Bauern in blauem, verſchoſſenem Beiderwand,
neben dem Wagen einherſchreitend, oder ein braunarmiges
Mädchen, das, den hellen Fluckerhut um das friſche Geſicht,
die Bruſt von dem roten Leibchen umſchloſſen, vor dem blauen
Linnenrock die weiße Schürze, mit der Harke auf der Schulter
zum Heumachen geht.

Auch dann, wenn ſich kein Menſch blicken läßt, iſt genug
zu ſehen und zu hören. In der Rieſelwieſe neben dem Mühl-
bache ſtelzt der Storch umher, und kaum iſt er abgeſtrichen,
da tritt eine Ricke mit ihrem Kitzchen aus dem Buſch, oder
ein paar Haſen laufen ſich in dem weißen Sande trocken. Auf
der Schirmkiefer, die bei dem großen, grauen Steine ſteht und
wie ſegnend ihre Zeige über ihn breitet, läßt ſich die Elſter
nieder, die in der Pappel bei der Mühle ihr Neſt hat und auf
dem hohen trockenen Machangelbuſche bei der Sandkuhle, deſſen
geſpenſterhaftes Gezweig in der Sonne wie altes Silber ausſieht,
fußt der Raubwürger und lauert auf eine Maus oder eine Eidechſe;
ſeine weiße Bruſt blendet weithin. Über den Wieſen taumeln die
Kiebitze; es ſieht aus, als wirbele der Wind ein paar Lappen umher, die zur Hälfte weiß, zur anderen Hälfte ſchwarz ſind,

und über der dunklen Wohld kreist ein heller Bussard, während
ein Brachvogel, der sich laut flötend in die Höhe schraubt,
einen goldenen Halbmond vor dem lichten Himmel bildet. Dann
flirren überall rote und gelbe Libellen, grüne und graue Sand-
käfer blitzen auf, himmelblaue, graue und bräunliche Falter
flattern über dem borstigen Gras, zwischen dem eine Heidlerche
umhertrippelt, während eine andere unter den Wolken hängt
und ihr süßes Liedchen herunterrieseln läßt. Überall aber in
der Runde schlagen die Finken, schmettern die Baumpieper,
locken die Meisen und zwitschern die Hänflinge und die Schwalben.

Aber das sind alles nur Kleinigkeiten, sind nur Neben-
sachen den großen Eindrücken gegenüber, die sich meinen Sinnen
aufdrängen. Die Heide blüht; die ganzen Hänge sind rosenrot
in allen Abstufungen, verstärkt durch die silbernen Stämme der
Birken und die von der Sonne in zwei Farben, leuchtendes
Goldgrün und stumpfes Schwarz, gekleideten Machangelbüsche,
durch die starren, straffen Ruten des Ginsters und die wirren
Klumpen der verkrüppelten Kiefern. Hier und da hebt sich
ein grauer Irrstein aus dem rosenroten Untergrund ab, ein
schmaler, weißer Weg, gefällig gekrümmt, zeigt sich teilweise,
eines Stechpalmenhorstes blankes Blattwerk wirft gleißende
Lichter um sich, und überall sprühen die Kiesel, die im Sande
liegen, in der Sonne, die den Boden so stark erwärmt, daß ich
sehen kann, wie die Luft über dem Heidekraut emert.
Ein schwerer Honiggeruch wogt über das ganze Land hin,
und das Summen der Bienen klingt wie das Brausen unsicht-
barer Wellen.

Die hohe Zeit der Heide ist gekommen, ihre höchste Zeit. Aber auch dann, wenn der Honigbaum nicht blüht, wenn die Heide braun ist, ist es wunderbar schön hier, im Ostermond zumal, wenn das Bruch vom blühenden Porst rot ist, die Birkenbäume über und über mit Smaragden behängt und die Wiesen weiß gestickt und mit goldenen Säumen besetzt sind, oder späterhin, wenn jedes Stück Moorland vom Wollgrase mit Sommerschnee bedeckt ist, oder im Herbste, wenn aus den rosigen Blüten Silberperlen wurden und die Birken sich wie goldene Springbrunnen von der Heide abheben, lustig anzusehen. Aber auch dann, wenn Frostwinde wehen, kalte Nebel vom Moore heraufsteigen und jeden Zweig, jeden Stengel einspinnen, daß am andern Morgen Heide und Bruch ganz und gar versilbert sind, ist es herrlich hier unter dem Wahrbaum, wenn die Moosbank auch nicht mehr zur Rast einladet.

Wenn dann, Unwetter verkündend, die Sonne zwischen schwarzem und blutrotem Gewölk hinter den Heidbergen über dem Moore zu Bette geht, der Sturm die Kiefern antreibt, ihre dunkelsten Lieder zu singen, und die Machangeln so zaust, daß sie sich unwillig schütteln, wenn dann die Nebelhexen über das Bruch jagen, daß die Fetzen ihrer schlampigen Röcke über das fahle Gras hinschludern, die Winterkrähen mit rauhem Rufe dahintaumeln, dann lohnt es sich wohl, einige Zeit unter dem Wahrbaum zu weilen und den seltsamen Runen zu lauschen, die sein krauses Astwerk singt. Weisen aus uralter Zeit sind es, die sie kundgeben, aus den Tagen, da noch der wilde Wisent durch das Bruch zog und der grimme Grauhund seine Fährte in den Sand drückte, da an den Giebeln der Strohdachhäuſer die Schädel der Mähren bleichten, die Wodan und Thor zu Ehren in dem heiligen Kreiſe auf dem Hingſtberge, der dort über den anderen Hügeln ſein braunes Haupt erhebt, unter dem Steinmeſſer zuſammenbrachen, oder von den fröhlichen Abenden, wenn feſtumſchlungene Paare nach dem Friehbloh, dem Walde der Frigga, zogen und der guten Göttin weiße Blumen ſtreuten, damit ſie ihren Bund ſegne.

Solcherlei Weiſen vermag der alte Baum zu ſingen und auch andere, aus denen es wie Hörnerklang und Kampfruf klingt, wie Siegesjauchzen und Sterbegeſtöhne. Das Volk, das heute noch hier in der Heide den Acker baut, iſt dasſelbe, das einſt die wilden, gelbgeſichtigen Fiſcher und Jäger vertrieb, das die römiſchen Kohorten im Moore abwürgte, ſich drei Jahrzehnte lang der welſchen Völker, die Karl der Franke in das Land einführte, erwehrte, und das ſich in Jahrhunderte währenden Kämpfen mit den Wenden katzbalgte. Sie haben viel Böſes erlebt, die Heidjer, von der Zeit her, da ſie mit Roſſen und Wagen und Vieh von Nordland hier eindrangen, den Wald rodeten und die Heide brachen, bis zu der Zeit, da kaiſerliche und ſchwediſche Soldknechte hier ſchlimmer als die Teufel hauſten, und ſo iſt es kein Wunder, daß ihre Augen kalt und ihre Lippen ſchmal wurden.

Wer aber einen Scheffel Salz mit ihnen gegeſſen hat, der weiß, welche goldenen Herzen ſie haben, wie viel Güte und Treue und wie viel Fähigkeit und Kraft aber auch hinter den ſtillen Geſichtern verborgen liegt. Nur ſchwer tauen ſie auf,

nur langsam gehen sie aus sich heraus. Sie sind geartet wie
die Eichen, unter denen ihre einsamen Höfe liegen; die lassen
ihre Knospen erst aufbrechen, wenn die Birken sich schon längst
begrünt haben und die Buchenbäume das volle Laub tragen,
aber dann strahlt das junge Blattwerk an den grauen Ästen
über dem knorrigen Stamm auch wie lauter Gold.

Deshalb wohl, weil es ihrem ureigenen Wesen so ähnlich
ist, lieben sie die Eiche auch vor allen Bäumen, und darum
gilt als Wahrzeichen für den Wanderer fast immer eine Eiche
als Wahrbaum.

Das grüne Gespenst

In dem Bache hier wuchert in dichten Polstern ein dunkelgrünes Kraut. Vor zwei Jahren war es noch nicht da. Ein halbes Jahrhundert ist es her, da ertönte ein Schreckensruf durch ganz Deutschland. In Berlin ward er zuerst gehört und pflanzte sich von da fort, mächtig widerhallend, Furcht und Entsetzen überall erweckend, wo er vernommen ward. Von Amerika war ein unheimliches Wesen erschienen, so noch nie erblickt war in deutschen Landen. Es hatte die grüne Farbe des Schlammes, war weich und biegsam und über die Maßen zerbrechlich, und gerade darum so furchtbar.

Dieweil es im Wasser der Flüsse und Seen lebte, erst heimlich auf dem Boden dahinkriechend, sich nährend von Moder und Fäulnis, dann sich reckend und streckend, bis es stark und groß war, den Wasserspiegel erreichte und über die Ufer hinausquoll, faulige Dünste verbreitend, benamsete das baß erschrockene Volk es die Wasserpest.

Das grüne Gespenst war das Pflänzlein, das hier den Bach erfüllt; von Kanada gelangte es um die Mitte des neunzehnten Jahrhunderts nach Irland und wurde im botanischen Garten zu Berlin gezogen, bis es ihm da zu langweilig wurde und es einen unbewachten Augenblick benutzte, um sich ein wenig weiter in der Welt umzusehen. Ein kleines Stückchen davon, knapp einen Zoll lang, war es, da es in die Spree gelangte. Da trieb es sich solange herum, bis es in eine Bucht kam, und begab sich schleunigst daran, aus seinen Gelenken lange, dünne, weiße Würzelchen zu treiben, mit denen es sich im Ufer-sande verankerte. Und als es mit dieser Arbeit fertig war, lachte das grüne Koboldchen und fing an zu wachsen, daß es schon nicht mehr schön war, und wuchs und wuchs und wuchs bis an die Grenzen der Unmöglichkeit, bis ihm die Spree zu klein war, und so kam es in die Netze und in die Warthe und in die Oder und in die Weichsel und in die Elbe auch, und in die Weser erst recht und schließlich auch in den Rhein und in die Donau, und es erhub sich überall ein erschreckliches Heulen und Zähnegeklapper, denn der Tag schien nicht mehr fern, da alle Binnengewässer Europas bis zum Rande mit dem Kraute gefüllt waren, so daß kein Schiff mehr fahren, kein Mensch mehr baden, keine Ente mehr gründeln und kein Fisch mehr schwimmen konnte.

Dem war aber nicht so; denn als einige Jahre vergangen waren, da sank das grüne Gespenst bis auf ein bescheidenes Maß in sich zusammen. Es hatte zu gierig die Stoffe, die Wasser und Schlamm ihm boten, aufgezehrt, und nun rächte sich dieser selbstmörderische Raubbau an ihm. Nicht mehr brauchte die Menschheit sich seinetwegen mit Gänsehäuten zu bedecken und sich die Glatzen zu raufen, nicht mehr ihm mit Harken zu Leibe zu gehen, es den Fluten zu entreißen und an das Land zu zerren, auf daß es dort elend verdorre. Nach wie vor fuhren die Schiffe, badeten die Menschen, gründelten die Enten, schwammen die Fische, und als man sich den Schaden mit ruhigerem Gemüte besah, da stellte es sich sogar heraus, daß dort, wo das schreckliche Kraut üppig wucherte, die Fischzucht sich bedeutend gehoben hatte, denn die junge Brut fand in dem dichten Rankengewirre herrlichen Unterschlupf und konnte sich prächtig vor den Raubfischen bergen.

Als das bekannt wurde, beschafften sich alle klugen Fisch-züchter eine Handvoll Wasserpest, warfen sie in nahrungsarme und pflanzenleere Teiche und Bäche und stellten in wenigen Jahren fest, daß der Fischbestand sich erfreulich gehoben hatte. Aber wie der Mensch nun einmal ist, es fiel ihm nicht ein, das gute Kraut nun auch wieder ehrlich zu sprechen, es vielleicht Wassersegen zu nennen oder so ähnlich; nach wie vor blieb es die Wasserpest, und heute noch bekommen manche Menschen einen kalten Rücken, wird der Name genannt, heute noch, wo hunderttausende von Mark mit der Wasserpest verdient werden, denn sie ist eine stark begehrte Aquarienpflanze, von der in den großen Städten, in denen es Menschen gibt, die die Natur nur aus den Schaufenstern und vom zoologischen Garten her kennen, Tag für Tag Bündel um Bündel, drei fingerlange Stengel enthaltend, für einen Groschen und mehr verkauft werden. Viele pflanzenarme Teiche, Seen und Bäche sind durch sie angereichert, viel hagerer Boden ist mit ihr gedüngt, in dürren Jahren auch manches Stück Vieh mit ihr gefüttert, aber darum be-hält sie doch noch immer den alten Übel-, Ekel- und Schaudernamen, obwohl sie von allen grünen Gespenstern das allerharmloseste ist.

Denn deren gibt es eine ganze Menge. Manche sind un-
gefährlicher Art, wenn sie auch, als sie zum ersten Male auftauchten, den Menschen ebenso sehr in Angst versetzt haben
werden wie die arme Wasserpest. So pflanzte sich vor einigen
Jahrzehnten ein langes, dürres, erbärmlich blühendes Kraut
an unseren Bahndämmen auf, ebenfalls ein Kanadier, das
kanadische Flöhkraut, auch Kuhschwanz genannt, und verur-
sachte vielfach erhebliches Erblassen, zumal, als es ruchbar
wurde, daß besagte Pflanze in dreißig Jahren rund um die
Erde gewandert sei. Aber es tat keinem Menschen wehe, wenn
es auch nicht schön zu sehen und lieblich zu riechen war, denn
bescheiden hielt es sich an den Bahndämmen, Straßenböschungen
und Schuttplätzen und mied die Gefilde gänzlich. Es war nichts
Gutes gewöhnt, wie eine Magd, die statt der üblichen Pell-
kartoffeln nebst Heringsschwanz bei der neuen Herrschaft Braten
zu Mittag bekam und darum kündigte, und so macht es das
Flöhkraut auch: fettes Leben verträgt es nicht und geht im
Bogen um gedüngtes Land und guten Boden herum. Da ist
das Franzosenkraut anders; je mehr Mist es vorfindet, um so
besser gefällt es ihm in Feld und Garten. Es stammt aus
Peru und mogelte sich über Frankreich zu uns ein, wo es sich
bald so unbeliebt machte, daß in vielen Gegenden vereidigte
Männer zu bestimmten Zeiten von Feld zu Feld gehen und
den Grundbesitzer, der das Kraut nicht ausgerodet hat, in
schwere Strafe nehmen. Im anderen Jahre ist aber trotzdem
das üble Gewächs wieder da, denn es hat in seiner Schlauheit
einen Vertrag mit den Spatzen, diesem Unkraut unter den

Da draußen vor dem Tore.   10

Dögeln, geſchloſſen, und die ſäen es auf wenig anſtändige Weiſe
auf beſchotterten Fabrikdächern aus und bringen den reifen
Samen auf dieſelbe Art wieder in Feld und Garten.

Überhaupt die Spaßen! Der Teufel ſoll ſie ſchockweiſe
holen und ihretwegen müßte man den Sperber ſchonen. Da
hat ſo ein Gemüſezüchter ſeinen Garten im Schweiße ſeines
Rückengelenkes unkrautrein gemacht und denkt nun, das hält
vor. Doch nach vier Wochen ſchießt der Gartenknöterich
maſſenhaft aus der Erde, überall wimmelt es vom gelben
Sauerklee, allerorts ſchießen Schuttmelden und anderes Unge-
kräut auf, und der jungen Quecken iſt kein Ende. Und wer
iſt ſchuld daran? Der Spaß, dieſer Lump unter dem Federvolk,
der Blumen und Nußpflanzen zerbeißt, um Unkräuter anzu-
pflanzen, denn gleich und gleich geſellt ſich gern. Aber der
Buchfink hilft ihm wacker dabei, denn böſe Beiſpiele verderben
die beſten Sitten, und Hänfling, Stieglitz, Ammer nnd Lerche
ſind auch nicht ſo brav, wie ſie behaupten, und ſorgen reichlich
dafür, daß der Landmann und Gärtner einen geſchmeidigen
Rücken behält. Aber an allem Ärger, die ihm die grünen
Kobolde und Geſpenſter bereiten, ſind ſie doch nicht ſchuld.

Da erſchien 1828 in der Walachei ein Kraut, deſſen ſich
die älteſten Greiſe nicht mehr erinnerten, die dornige Spißklette.
Das hatten nicht die Spaßen in ihrem Gedärm, ſondern die
Koſakenpferde in ihren Schweifen aus halbaſien eingeſchleppt,
denn es beſitzt dornige Früchte, die von rührender Anhäng-
lichkeit ſind. Die Botaniker freuten ſich über die Bereicherung
der Pflanzenwelt, aber aus dem Jubel wurde bald Weheklagen,

denn das Schandkraut verbreitete sich von da nach Ungarn
und Deutschland, und als es gar nach Australien und Amerika
gelangte, da bekam es erst recht Luft und wuchs sich zu einem
Schreckgespenst schlimmster Güte aus, zu einer Landplage scheuß-
licher Art, denn es verdarb mit seinen dornigen Früchten die
Schafwolle greulich und in Chile hingen sie den Pferden in
ganzen Klumpen sich in die Schweife und Mähnen, so daß die
Tiere elendiglich daran zugrunde gingen. Auch bei uns macht
sie sich stellenweise so breit, daß sie hier und da unter Polizei-
aufsicht gestellt werden mußte.

Genau so ging es einer anderen Pflanze, der Sommer-
wucherblume, einem bildschönen Kraut, dessen goldene Blüten
der Landschaft zum herrlichen Schmuck gereichen. Aber der
Landwirt denkt nicht künstlerisch genug, um sich des holden
Anblicks zu erfreuen, und eine Marschall Niel oder La France,
dünkt ihm, steht sie zwischen seinem Weizen, nicht minder ein
Unkraut als Distel und Quecke. Darum schont er der goldenen
Blume nicht und rottet sie mit Stumpf und Stiel aus, und ist
er zu bequem dazu, so gibt ihm der Landrat einen Wink mit
dem Gendarm, und der kostet einige Taler. Ach ja, die Schönheit
ist ein sehr persönlicher Begriff! Lieblich ist die Kornblume,
hübsch die Rade und schön der wilde Mohn, und wo sie mit
blauen, purpurnen und scharlachnen Blüten das Feld schmücken,
da verdreht der Städter die Augen vor wonnigem Entzücken
und findet den Anblick entzückend. Der Bauer aber pfeift
auf die Poesie dieses Anblickes und schreibt seinem Getreide-
händler einen sackgrobgroben Brief, weil er Roggen und keinen

10*

gemifchten Blumenfamen für ein buntes Beet beftellt hat, denn
anftatt feine Brotfrucht nach der Windmühle vor dem Dorfe
fahren zu können, muß er fie an die Dampfmühle verkaufen,
die mit Schütteljieben und Gebläfen den Unkrautfamen von
der Brotfrucht zu fcheiden weiß, und der Bauer muß feine
Brotfrucht felber kaufen, und das tut er nicht gern. Deshalb
macht er fich im allgemeinen aus Blumen überhaupt nicht viel,
denn er muß immer dabei an allerlei Kraut denken, das reizend
ausfieht und ihm abfcheulich fchadet.

Vielleicht hat auch er, als mit dem Roggen Kornblume,
Rade und Klatfchmohn zuerft aus Afien einwanderten, fich der
hübfchen Blüten gefreut und fie im Acker geduldet, bis er eines
Tages einfah, daß er dabei der Dumme war. Vielleicht hat
ihm fogar der goldene Hederich Vergnügen gemacht, als der
zuerft auftauchte; aber als fchließlich vor lauter Hederich die
grüne Saat ein gelbes Blumenbeet wurde, da wurde er fuchs-
teufelswild und wütete unter den holden Blümelein wie Saul
unter den Philiftern, ohne daß es ihm fehr viel half, denn die
dreimal vermaledeiten Spaßen hielten es natürlich mit dem
Hederich und forgten dafür, daß die eintönig grüne Fläche des
Ackers auch im nächften Jahre wieder durch reichliche Beimen-
gungen von goldenen Blumen reizvoll unterbrochen war. So
ift es auch wohl gekommen, daß der Landwirt im Laufe der
Jahrtaufende eine Hundeangft vor allem Neuen bekam, vor
allem dann, wenn es fich in gefälliger Form einführte, denn
zu oft war er damit hineingefallen, und wenn er etwas an den
Lupinen, der Efparfette, dem Buchweizen, der Seradella, der

Luzerne und dem Inkarnatklee auszusetzen hat, so ist es der Umstand, daß diese nützlichen Gewächse schön blühen, ja, es ist Tatsache, daß die Kartoffel sich anfangs nur deshalb so schwer einführte, weil sie dem Landmann wegen ihrer hellen Blüte verdächtig war, wie er denn jetzt auch nur ganz langsam daran gehen mag, die knollige Sonnenblume als Viehfutter zu bauen, denn ihre schönen goldenen Sterne lassen ihn vermuten, daß sie vielleicht versteckte Absichten habe, zumal sie von wer weiß woher ist.

Er hat nicht so unrecht. Vielerlei, das mit bunten Blüten über Land und Meer kommt und um ein Plätzchen bei ihm bittet, hat sich nachher recht undankbar dafür benommen. Zwar gibt es einige bunte Blumen, die von ferne kamen, die sein Vertrauen nicht täuschten, so die himmelblaue Wegewarte, auf Deutsch Zichorie genannt, der goldgelbe Frauenflachs, der rote Gauchheil, das feurige Donnerröschen, der sonnenfarbige Rain-farrn, aber schon der veilchenblaue Rittersporn und der pur-purne Erdrauch machen sich leicht zu breit, duckt der Bauer sie nicht, wo er es kann. Mit der Zeit sah er alles schief an, was nicht sein Urgroßvater schon kannte und duldete, und es war ihm gar nicht recht, daß sich an dem Bahndamme vor dem Dorfe die Nachtkerze ansiedelte und ihre herrlichen, großen, goldenen Blüten entfaltete; „trau, schau, wem", dachte er und schlug sie mit dem Stocke um. Als Blume gilt ihm nur das, was so gut erzogen ist, daß es hübsch brav da bleibt, wo es hingesetzt wird, im Garten; alles andere ist ihm Unkraut, und wenn es auch in allen Farben des Regenbogens schimmert und nach Myrrhen und Weihrauch duftet, vorausgesetzt, daß es nicht schon von Anbeginn da war und den Beweis erbracht hat, daß er sich darauf verlassen kann. Und weil er mit den bunten Blumen so oft üble Erfahrungen gemacht hat, darum ist er milde gegen solche Kräuter, die nicht mit feuerrotem, himmel= blauem und goldgelbem Gepränge daher kommen, sondern ein schlichtes Gewand tragen und keinen knallbunten Schlips vor= haben, wie die Nessel, die Klette, die Melden und der gute Heinerich.

Selbst wenn sie ihm lästig sind, wie Nachtschatten, Wolfs= milch und Haferdistel, sie ärgern ihn nicht so sehr wie das, was da rot und blau und gelb prahlt und prunkt und protzt und dadurch mit ihm anzubinden sucht, daß es künstlerische Wirkungen schindet. Grün ist das Feld, grün ist die Wiese und grün der Wald; darum fürchtet er sich nicht vor dem, was nur grün ist.

Aber der des Grünen entwöhnte Städter erschrak bis in das Mark, als die Wasserpest einwanderte, und sie erschien ihm als ein grünes Gespenst.

Heidbrand

Jn schwarzem Schweigen liegt das Dorf. Lautlos streicht die Schleiereule um die Mährenköpfe der Giebel, leise streicht ein Kater über die graue Straße, unhörbar flattert die Flebermaus um die Hofeichen. Die Hunde, die die ganze Nacht den Mond angeheult haben, sind stumm geworden. Aus dem Bache quollen weiße Nebel, krochen über die Wiesen, das Moor, schwebten über die Heide. Eine Viertelstunde kämpfte der Mond mit ihnen, dann erstickten sie ihn.

Und jetzt ist alles grau rund herum. Die Straße, die Wiesen, das Moor, die Heide, sie sind allesamt untergegangen in dem weißgrauen Dunst. Auch die Birken an der Straße lösen sich langsam darin auf. Ein hohler Wind kommt angepustet. Er schüttelt die nassen Birken, daß sie kalte Tränen weinen, weht über die rauhen Föhren, daß sie im Schlaf aufstöhnen, reißt den hohen Wacholdern die Nebellaken ab, daß sie vor Frost zittern. Und dann schweigt er auf einmal, als hätte er nie gesprochen, verstummt, als wäre er gar nicht hier. Nur in dem harten Grase am Wege raschelt er matt und müde, als habe auch ihm der Nebel den Atem genommen.

Eine ängstliche Stille liegt über der grau verschleierten Heide, ab und zu unterbrochen von einem engbrüstigen Aufseufzen, von einem kurzatmigen Stöhnen, von einem fröstelnden Geflüster, so verloren, so unbestimmt, so undeutlich wie die graulichweiße Landschaft. Oben, über den grauen Nebeln, ertönt ein jammervolles, ängstliches Flöten, erst weit, leise, dann näher, lauter, und schließlich sich wieder weiter und heiser verlierend. Ein dünnes, verjagtes Pfeifen taucht auf und verschwindet. Brachvögel und Drosseln auf der Wanderung sind es. Ein Wehklagen klingt aus der Schonung, gepreßt und beklommen. Das ist die Ohreule.

Von dem Anbauernhof in der Heide kommt ein Hahnenschrei. Vom Dorfe kommt ein zweiter ihm entgegen, und ein dritter. Ein Spitz kläfft heiser wie ein Fuchs. Er weckt den Wind wieder auf. Der gähnt, reckt sich, erhebt sich aus dem Heidkraut und geht an sein Tagwerk. Erst fegt er den Heidberg vom Nebel rein, steigt dann in die tiefe Heide und macht die blank, zieht von den Wiesen den weißen Schleier, nimmt die grauen Laken von dem Moor, trocknet alle Büsche und macht die Bahn für die Sonne frei. Blutrot kommt die über die schwarzen Föhren aus einem schmalen Stück hellgrünen Himmels, über dem eine schwere, bleigraue Wolke liegt. Bleichgelbe, unheimliche Strahlen fallen auf die graurote Heide, lassen sie kupferrot aufleuchten, rostrot glühen, geben den fahlen Moorwiesen einen Grünspanton, den Föhren ein böses, blaues Licht. Dann sinkt die bleigraue Wolke tiefer, verdrängt das Stückchen Himmel, läßt von der Sonne nur einen dreieckigen, rotglühenden Punkt übrig, bis auch der erlischt. Lange, graue Stunden folgen. Eintönig pustet der hohle Wind über die grauroten Hügel, ſtäubt gelben Sand in die roſigen Blütchen, ſeufzt in den Birken, flüſtert im Riſch, ſtöhnt in den Wacholdern. Undurchſichtig blaßgrau, troſtlos gleichfarbig iſt der Himmel. Matt ſchweben vereinzelt kleine blaue Schmetterlinge über die Heide, laurig fliegen die Immen von Blüte zu Blüte, miß-mutig brummt die Hummel, die Heidlerche lockt wehmütig, die Krähe krächzt angſtvoll; keine behende Eidechſe, kein flinker Sandläufer läßt ſich ſehen.

Da aber kommt der Wind zum drittenmal. Er hat die Nebel von der Erde weggejagt, hat Bäume und Büſche getrocknet, und jetzt geht er auf die Dunſtwolken los. Mit gellendem Pfeifen ſcheucht er ſie auseinander, treibt ſie nach Nord und Weſt und Süd, hetzt ſie über alle Berge und über alle Föhren und ſchafft der Sonne Bahn. Heiß und goldig bricht ſie hervor, färbt die Flanken der Hügel mit Roſenrot, hüllt die Birken in Frühlingsgrün, ſtreut Gold auf die Föhren und Glanz auf die Sandwege, macht die blauen Falter luſtig und die braunen Bienen lebendig, lockt die Eidechſe aus der Heide und die Laufkäfer aus dem grauen Moos, und ſtimmt der Krähe grämliches Gequarre zu frohem Schrei um.

Ein Honigduft, ſtark und betäubend, ſteigt aus den zahl-loſen Blüten, unzählige Immen ſummen im Chor ein brauſendes Lied, ein Geflatter blauer Flügelchen iſt überall, den ganzen Weg entlang geht ein Geblitze goldener Punkte, und auf die roſenroten Flächen perlen lullende Lerchenlieder herunter.

Auf die langen, grauen Stunden folgen kurze, helle Stunden, kurz, weil ſie ſo ſchön ſind. Sengend prallt die Sonne auf die heidberge, macht aus den Spinnweben am dürren Föhrenaſt ein Goldgewebe, aus den Kieſeln auf der Sandblöße Diamanten, Rubine, Opale und Amethyſte, aus dem düſteren Walde am Heidrand einen lachenden Hain. Überall iſt ein Glänzen und Schimmern, ein Leuchten und Flimmern, Strahlen und Prangen. Das Renntiermoos iſt reines Silber geworden, die Föhrenſtämme blankes Gold, von den fernen Fiſchteichen im Grunde ſchießen hellblaue Lichter empor, die Schnuckenherde hat goldene Vlieſe.

Der luſtige, leichtſinnige Wind tanzt bergauf, bergab, dreht ſich aus dem Flugſand eine lange, gelbſeidene Schleppe, koſt mit den krauſen Fichten auf dem Berg, mit den Birken an der alten Straße, fiedelt ein Lied auf einem dürren Span und bläſt ein Stückchen auf einem bleichen Rehſchädel. Dann ver-ſchwindet er hinter dem Berg, um ſich ein neues Spielzeug zu ſuchen. Hinter den Föhren auf der Düne hinter dem Moor ſitzt er, hat ſich die Pfeife angeſteckt und pafft und pafft. Erſt zieht er dünne, kleine Wölkchen, dann dickere, und ſchließlich qualmt er, als wenn ein kleiner Bauer backt. Und der Knaſter, den er raucht, iſt nicht von der beſten Sorte: Torf, Riſch, Renntiermoos, Heide und Föhrenzweige hat er in die Pfeife geſtopft. In allen Dörfern in der Runde laſſen die Leute bei der Grummeternte Senſen und Harken ſinken, ſchnüffeln in der Luft, meinen, es komme ein ſtinkender Nebel aus dem Moor, und ſchanzen weiter. Aber die Sonne wird immer röter, der Himmel im Oſten immer tiefer, die Luft immer dicker. Da ſehen ſie ſich an, ſchütteln die Köpfe und wundern ſich, daß im Weſten die Luft hell und klar iſt und im Oſten ſo dick und ſchwer. Und auf

einmal ift ein Laufen hin und her, Räder bligen über die
Landftraße, Wagen donnern durch gelben Mülm, und auf den
grünen Wiefen und roten Buchweizenfeldern wird es leer und ftill.

Da aber, wo der Wind faß und rauchte, rund um das
Moor, ift ein Gewimmel von weißen Hembsärmeln, ein Geblitze
blanker Schuten. In langen Reihen ftehen die Männer da,
Qualm im Gefidht, Qualm unter den Füßen, Qualm im Rücken.
Dor ihnen ift alles ein dicker, weißblauer Dampf, aus dem ab
und zu ein rotes Flämmchen bricht; neben ihnen kohlen fchwarze
Ringe im Boden, erweitern fich knifternd, rote Zungen lecken
am Heidkraut, rote Funken hufchen über das dürre Gras. Die
Twicken fallen mit hartem Schlag nieder, die Schuten beißen
knirfchend in den Sand, dumpf poltern die Schollen, Schweiß-
geruch hüllt die Männer ein. Dann und wann ein langer,
tiefer Schluck aus dem Blechtopf, den die Frauen und Kinder
heranreichen, ein Strecken des fchmerzenden Rückens, ein Recken
der müden Arme, ein Streifen der fchwarzen Hand über die
müde Stirn, und dann hackt die Twicke wieder, knirfcht die
Schute, poltert die Scholle.

Die Sonne geht unter, unheimlich rot, als ginge fie zur
allerletzten Rüfte. Die ungeheure blaugraue, weiß durchwirkte,
braun überzogene Rauchwolke glüht golden auf, loht feuerrot,
leuchtet purpurn. Schwarze, fchwere Wolkenballen verhüllen
die Sonne, laffen fie wieder einmal auflodern, erfticken fie von
neuem. Einmal noch funkelt fie über den Föhren, dann ift fie
tot. Die Dämmerung fteht über der Heide, eine doppelte, durch
Qualm und Rauch verftärkte Dämmerung. Kaum fchimmern

die weißen Hemdärmel noch hindurch, von den Gesichtern der
Männer sieht man nichts mehr; sie sind rußig und schwarz.
Die Arme erlahmen, die Rücken brennen, die Knie zittern;
aber so lange die roten Flammen züngeln, dröhnen die Twieten,
knirschen die Schuten rund um Heide und Moor.

Auf den heidwüchsigen Dünen, in den Besamungen der
Heidberge, in den Föhrenhorsten der Hügel stehen die Rehe
und schnuppern den stinkenden Qualm ein, der aus dem Moore
kommt, da liegen die Hasen und das Birkwild, da schnürt unstet
der Fuchs. Ihnen allen nahm der große Brand die Heimstatt.
Viele von ihnen erstickte ·der blaue Qualm, tötete die rote
Flamme. In dem Dorf vor dem Moor stehen die Frauen, die
halbwüchsigen Kinder, die alten Männer in Gruppen auf den
Straßen und reden halblaut über den Brand. Fast alle sind
zu Schaden gekommen. Der hatte noch Torf draußen, einem
anderen ist die gehauene Heidstreu aufgebrannt, dem wieder
der Immenzaun mit allen Stöcken, und viel Busch und Holz
ging verloren. Und das schlimmste ist, daß die Arbeit auf
Feld und Wiese liegen bleiben muß, vielleicht eine Woche lang,
wenn kein Regen niedergeht.

Lange Reihen grauer Schatten, halblaut redend und hart
auftretend mit den hohen Stiefeln, ziehen in das Dorf. Andere
Reihen begegnen ihnen, die Ablösung. Die ganze Nacht muß
gewacht und gearbeitet werden, denn der Wind läßt nicht nach
und steht steif auf das Holz zu, das zwischen dem Moor und
dem Dorf liegt. Die Dorfstraßen sind voll von dem stinkenden
Rauch. Die Nacht schlafen nur die Kinder im Dorfe. Gegen

elf Uhr aber merken die Männer, die draußen in der Heide arbeiten, daß der Rauch ihnen nicht mehr in die Augen kneift, ihnen nicht mehr den Atem nimmt; der Wind hat sich gedreht, er kommt aus dem Westen. Und dort flammt auch ab und zu ein roter Schein, und bei seinem Leuchten steht da eine schwarze Wetterbank. Froher arbeiten die Leute weiter, denn sie wissen, daß sie Hilfe bekommen. Um Mitternacht poltert der Donner hinter den Heidbergen; einzelne dicke Tropfen fallen. Und dann rauscht es aus den Wolken, es zischt in der brennenden Heide, zischt im glimmenden Moore, langsam läßt der Rauch nach, wird der Qualm kleiner. In der ersten Morgenstunde schultern die Männer ihre Twicken und Schuten und gehen, naß bis auf die Haut, schwarz und schmierig an Händen und Gesichtern, im strömenden Regen heim und schlafen, bis der helle Morgen in die Fenster scheint. Dann gehen sie wieder in die Heide und dämpfen die letzten weiß qualmenden Brandstellen. Über sechshundert Morgen sind ausgebrannt. So weit die Augen reichen, ist alles schwarz und kahl. Hier und da ragen die Trümmer eines Immenzaunes, die schwarzen Gerippe verkohlter Föhren, das unheimliche Skelett eines verbrannten Machangels aus der flachen, düsteren Wüste. Ein Jahr wird wohl noch vorübergehen, ehe hier das Wollgras wieder wimpelt und die Heide wieder blüht, und lange wird es dauern, bis hier wieder Föhren wachsen. Der Buchweizen liegt naß im Felde und das Heu hat durch den Regen viel an Kraft verloren.

Der Bauer aber zuckt die Schultern. Klagen hilft nichts und es hätte schlimmer kommen können mit dem Heidbrand.

Der Strand

Wer zu einem Menschen nur in seinen guten Stunden kommt, der weiß nichts von ihm; wer das Steinhuder Meer nur sommertags sah, der kennt es nicht. Die Freunde des Meeres in der Stadt, wo sind sie heute? Hinter dem Ofen, denn in den Straßen tobt der Herbststurm. Er gießt kübelweise den Regen an die Fenster, hetzt die Wolken hin und her, spielt wilde Weisen und haut den Takt zu seinem Liede so grob auf die Dachpfannen, daß sie klirrend und klingelnd und klappernd herabpoltern.

Heut wird's am Meere schön sein. Zerpeitschte Grauflut, gehetzte Schwarzwolken, spritzender Gischt und halbverhülltes Abendrot werde ich sehen, nicht solchen zahmen Dutzendsonnenuntergang für Sommerfrischler. Der Wind spielt mit den Krähen und wirbelt sie in der Luft herum, als wären es schwarze Lappen. In Steinhudes gelbem Eichenhain tobt der Wind wie toll. Das saust und braust und pfeift und flötet und lehrt den gelben Blättern den Ringelreihetanz und die Aalkörbe an den Lehmwänden der Ställe lustige Sprünge. Grau ist das Meer, hechtgrau mit Silberstreifen und dunkelgrün mit schwarzen Barschstriemen, tief duckt sich das gelbe Rohr unter des Sturmes rauher Hand, unwillig rauschen die schiefen Pappeln.

Das Meer brauſt und brandet, ſpritzt und ſchäumt. Gut
paſſen zu ihm die unheimlich gelben Dünen, der düſtere Föhren-
kranz an ſeinen Ufern, die ſchwarz und braun gemuſterten
Bergkuppen drüben. Es iſt ja auch ſchön hier an blauen
Abenden, in ſengender Mittagsglut, an Nebelmorgen, bei ſtern-
heller Nacht, aber am allerſchönſten im Herbſtſturm, wenn es
ſingt und klingt in den Lüften.

Blaugrau iſt der Himmel. Fahl blinzelt die Sonne durch
einen Wolkenriß. Weiße Wolken, wie Watteflocken, treiben
nach Oſten. Der Wolkenriß weitet ſich, Silberblitze ſpringen
über die Wellen, die Dächer drüben glühen auf, die ſchwarzen
flatternden Punkte dort unten, Möwen, blitzen auf zu blenden-
dem Weiß, und die Entenflüge, die die beiden Fiſcherboote
hochmachten, wie Hunderte von Silberflittern wirbeln ſie vor
dem graublauen Himmelsrand herum, bis ſie als ſchwarze Flecken
wieder auf dem Waſſer liegen. Jäh wechſeln alle Farben. Die
Segel vor der Seefeſte, eben waren ſie goldgelb, ſchwarz ſind
ſie jetzt; ſchwarz ſind die Seiten der Fiſcherboote, die eben wie
Silber gleißten. Die gelblichgraue Flut wird bläulich, färbt
ſich in Silberglanz um und in ſtumpfes Grau, und wälzt ſich
jetzt, wo die Sonne hinter dem Grauhimmel verſchwindet, tot
und ſchwarz nach Oſten.

Das Meer lebt von fremdem Geflügel. Wohin man ſieht,
ſchaukeln Hunderte von Enten auf den Wellen, wiegen ſich
Sägetaucher auf der Flut, ſchweben Möwen und Seeſchwalben
dahin, und heiſer rufend ſtreicht ein Flug Wildgänſe vorüber
und fällt am Ufer ein. Vier Schwäne, Wanderer vom Norden,

die hier auf der Südlandsfahrt einen Rasttag machen, schwimmen wie weiße Seerosenblumen auf der schwarzen Flut. Und das, was da silbern in der Rohrbucht auftaucht und verschwindet, wieder da ist und wieder in die Welle sinkt, das ist ein Haubentaucher. Katzenpfoten laufen über das Meer. Der Wind bringt Regen. Noch ist alles grau und blau und goldig, doch die Sturmhexen- kommen schon angeritten. Schwarz flattern die Lumpen um sie, ihr Strupphaar fliegt im Wind, ihre Besen zerfetzen die Wolken. Zu Dutzenden jagen die Unholdinnen vorüber, fassen sich an zu häßlichem Reigen, bilden Kreise und Kränze, lassen los und fegen dahin, daß die Rockfetzen fliegen und die Schmutzlappen flattern. Mit ihren Besen hauen sie in die Flut, daß sie schäumt und geifert, und sie fegen die Wellen, daß sie umkippen. Gellend klingt ihr böses Lachen aus der Luft.

Des Sturmes Baß übertönt ihr Gekreisch. Das braust und brandet und bullert, daß die Bohlen der Landungsbrücke zittern, daß die Wände des Strandhauses ächzen, daß die Scheiben klirren. Hastiger wandern die Wellen, tief bückt sich das Rohr, unwilliger schütteln die Pappeln die Köpfe. Immer mehr Katzenpfoten kräuseln die Flut, die Sonne wird ein fahler Fleck, näher kommt der Regensturm. Und nun platzen die Böen, schütten muldenweise das Wasser hinab, verhüllen die Ferne, verschlucken den Wilhelmstein, decken die Berge mit grauen Schleiern und die Dünen und den Strand zu, verhüllen Nähe und Weite mit dem gleichmäßigen Grau, in dem nur eine schwarzschwingige Möwe jauchzend umhertaumelt. Und es prasselt und klatscht und schlägt und stiebt schräg auf die Wellen, und die jagen dahin, wie mit Ruten gepeitscht, und das brüllt und heult in der Luft und pfeift und kreischt und schreit, und wie ein Geisterschwarm stiebt ein Möwenflug heran und wirft sich in der Rohrbucht ins Wasser.

Der Sturm läßt nach; aus dem Schwarz wird ein lichtes Grau. Schon taucht wie ein Schatten der Wilhemstein wieder aus dem grauen Schleier auf, ihm folgen die Berge, die Dünen und der Strand, bis sie klar und scharf am Himmelsrand stehen. Goldig wird es im Westen. Durch graue Wolkenballen reißt sich die Sonne ein Loch und malt Lichter in die schwarzblaue Bucht. Flammen brechen unter der schweren Wolke hervor, wie zerflossen glüht darin die Sonne, blaugrüne Striche ziehen sich über den Himmel, und auf allen Wolken blühen Rosen. Der Vorzeit Ungeheuer schwimmen durch das blaugrüne Himmels= meer, Riesenhaie und Drachen, Einhörner und Tiger, Schlangen und Eidechsen, mißgestaltet und furchtbar, alle nach Osten in die graue Nacht hin.

Zum Meere streicht ein Flug Gänse, sich kreuzend mit Entenflügen, die klingend und sausend das Meer verlassen, hoch über mich fortstreichend zur Leine. Entenflüge ziehen durch die Luft, mit hastigen Flügelschlägen, mit Sausen und Brausen, immer vom Meere fort.

Längst ist die Sonne hinter den Bergen verschwunden. Tiefer tönt sich der Himmel, hier und da blinzelt ein Stern, das Schwirren und Klingen hört auf, nur der Sturm pfeift und flötet noch, mit neuen Regenböen zieht die Nacht heran und verhüllt Meer und Land und Strand.

Da braußen vor dem Tore.   11

Die letzten Lieder

s könnte noch Sommer sein, aber es ist schon Herbst. Der Himmel ist grau, und der Regen rieselt. Wenn einmal die Sonne durch die schmutzigen Wolken kommt, dann sticht sie. Weiße Wetterköpfe schieben sich hinter den Häusern her, wachsen immer weiter und zerfließen in graue Massen. Die Sonne geht weg, und es regnet wieder aus grauem Himmel.

Grau ist es draußen, auf der Straße, grau ist es drinnen im Zimmer, und im Herzen der Menschen ist es ebenso grau. Alles ist ihnen langweilig an solchen Tagen. Es ist ihnen, als wäre keine Hoffnung mehr für das Leben, und als hätte alle Arbeit keinen Zweck. Ich stehe am Fenster und sehe in den Garten. Der ist naß und häßlich. Auf den Wegen wächst Moos, gelbe Blätter liegen im Rasen, die letzten Blumen faulen, ehe sie noch recht aufgeblüht sind. Träge Schnecken kriechen über die Efeuranken. Heute morgen, als es hell wurde, war der Garten schöner. Ich war früh aufgewacht von der Sonne, die durch die Vorhänge fiel und goldene Kringel an die Wand malte. Halbwach lag ich da und sah auf die Sonnenflecken. Und da hörte ich es draußen singen und pfeifen und zwitschern und flöten, und schlaftrunken, wie ich war, dachte ich: es wird Frühling, die Stare sind da. Schnell sprang ich auf und zog den Vorhang zurück. Da saßen sie vor ihrem Häus- chen, die beiden. Sie schlüpfte ein und aus, putzte sich und schlüpfte wieder ein, steckte den Kopf heraus und zog ihn wieder zurück, und er saß auf dem Dach, klappte mit den Flügeln, hielt den Schnabel in die Höhe, sträubte die Kehlfedern und sang und sang und sang.

Sein Lied brachte den Frühling in den Garten. Der Nachtregen blitzte auf dem Rasen wie Frühlingsmorgentau, der Efeu glänzte wie Silber, die letzte Rose streckte sich der Morgen- sonne entgegen, und die große goldene Sternblume strahlte und leuchtete. Ich war so froh, daß ich die gelben Blätter im Rasen nicht sah und die toten Blütenstiele; ich hatte der faulenden Knospe nicht acht, und die verkümmerten Waldreben- blumen störten mich nicht. Ich lachte, als wäre es Frühling.

Weit vor das Tor ging ich hinaus, durch die Felder. Über die winzigen Blümchen zwischen den Stoppeln freute ich mich, als wenn es die ersten Frühlingsblüten wären. Der goldene Hederich auf dem Felde lachte mich an, und im Graben die gelbe Kettenblume war mir wie die erste, die unter blühen- den Schlehen sich zeigt. Auf dem Wegepfahl sang ein Gold- ammerhahn dieselbe Weise, die er im Frühling singt. Der Text ist anders im Herbst. „Wie, wie hab' ich dich lieb," singt er im Mai. Wenn es aber Herbst wird, dann klagt er: „Mein Nest ist weit, weit, weit." Ich hörte den Frühlingstext heraus heute morgen. Das kam davon, daß die Sonne schien. Und die Stieglitze auf den Kletten am Schutthaufen, die Hänflinge

11*

auf dem Sturzacker langen Frühlingslieder, und der Hahn vor dem erften Hof krähte, als fchiene heute die Sonne zum erften Male.

Hinter dem Dorf auf den Telephondrähten war ein Gewimmel, fchwarz und weiß, und ein Gezwitfcher, bunt und luftig. Alle die Schwalben aus dem Dorfe und von den Nachbardörfern faßen da und fangen und fangen, als wären fie gerade wieder heimgekommen nach der langen Fahrt über Land und Meer. Sie zwitfcherten und flogen auf und feßten fich wieder, pußten fich und fchnäbelten fich, und dann nahmen fie fich alle auf, teilten fich und flogen nach ihren Ställen.

Im Gafthof an der Straße kehrte ich ein und feßte mich an den runden Tifch in dem Grasgarten in die Sonne. Goldene Georginen nickten über den Zaun, die Hühner kraßten im Kiefe, Mücken tanzten auf und ab. Etwas Buntes fchwirrte heran, fchnurrte vor meine Füße uud hüpfte kopfnickend über den Kies. Ein Finkenhahn war es. Nicht fo bunt war er als im Mai. Nicht fo hellblau war fein Schnabel, nicht fo grün der Rücken, nicht fo leuchtend rot die Bruft. Aber das Lied, das er aus feinem Kehlchen fchmetterte, es klang ebenfo froh und fo frifch wie im Mai.

Das fällt mir alles fo ein, wie ich hinausftarre in den naffen Garten, auf den der graue Regen fällt, mißmutig und übel gelaunt. Gleichmäßig grau ift der Himmel und unabläffig riefelt es aus ihm heraus, und der Tag geht früh zu Ende. Es klappert auf die Blätter und klatfcht auf den Weg, läuft an dem Birnbaumftamm herab und fließt aus der Dachrinne, tropft von der Gartentiſchecke und klingelt auf die Gießkanne. Die letzte Roſe läßt den Kopf hängen, die goldenen Stern= blumen hängen ſchwer herab, und die ſilberne Eberwurz hat ihren Kelch geſchloſſen und ſieht grau und grämlich aus.

Da klingt ein helles Stimmchen in das langweilige Getröpfel, ein Stimmchen, froh und klar. Vom Firſt des hohen grauen Hauſes kommt es, das ſchwarz und ſchwer gegen den grauen Himmel ſteht. Das Rotſchwänzchen ſingt ſein Abendlied. Es iſt kein kunſtgerechtes Lied, es iſt nicht ſchulgerecht. Das iſt dem kleinen Vogel aber ganz gleichgiltig. Er ſingt, und wenn er zu hoch kommt mit der Stimme, dann räuſpert er ſich und kräht ſein Lied zu Ende. Ihm iſt es gleich, ob die Sonne ſcheint oder nicht. Seinetwegen kann es ruhig regnen, er ſingt doch. Jeden Morgen und jeden Abend ſingt er, froh darüber, daß er lebt. Der Star und die Schwalbe, die Goldammer und der Fink ſingen Herbſtlieder, Scheidelieder, Meidelieder, denn Wanderangſt ſitzt ihnen im Herzen und unſtete Bange plagt ſie. Die einen ziehen weit fort, die anderen ſtreichen weit umher, fern von Heimat und Frühling. Rotſchwänzchen weiß von Scheiden und Meiden nichts. Heut' ſingt es noch und morgen noch, und wenn die andern ſchon lange das Singen verlernten auf der Wanderſchaft, dann ſingt es immer noch vom Dachfirſt ſein Lied jeden Morgen und jeden Abend, bis auch es fort muß. Das iſt das einzig Wahre. Einmal muß jeder fort. Für jeden kommt der Herbſt. Dann iſt es Zeit, mit dem Singen aufzuhören.

Bis dahin aber ſoll man ſingen, wie auch das Wetter iſt. So lehren es uns die letzten Lieder.

Im bunten Wald

Der Nebelung ist ein harter Herr; was er sagt, das gilt. Ein Blick von ihm, und der Espenbaum wird blaß; ein Wink, und die Linde ist kahl; ein Wort, und die Pappel gibt ihr Goldlaub her. Mit dem Weinmond läßt sich noch reden; wenn er auch rauh tut, er meint es nicht so schlimm. Sein Nachfolger aber besteht bis zum letzten Buchstaben auf seinem Scheine, und dieser besagt: Das Laub soll fallen und die Blume muß welken, stumm wird der Vogel und es stirbt der Wurm.

Den bunten Rock, den der Frühherbst dem Walde schenkte, nimmt der Spätherbst ihm fort; die Lieder, die die Herbstsonne die Amsel lehrte und den Star, verbietet der gestrenge Herr ihnen; der Falter versteckt seiner Schwingen Sammet und Scharlach in einer Rindenritze, und die Hummel, die um die letzte Kleeblume flog, wird zum langen Schlaf in das Moos geschickt.

Freilich, so leicht wie sonst wird es dem harten Herrn in diesem Jahre nicht, seinen Willen durchzusetzen. Zuviel Saft ist im Holze, zuviel Kraft in den Wurzeln, und weil im Sommer die Sonne fehlte, lebten die Blätter der Bäume langsamer denn je. Nach Sonnensommern waren die hohen Birken um diese

Zeit schon längst nackt und kahl; heute aber leuchtet ihr gold-
farbiges Laub noch lustig vor den schwarzen Kiefern, die mit
mürrischen Gesichtern darauf warten, daß sie allein dort zur
Geltung kommen. Ein Weilchen werden sie noch lauern müssen.
Die Birken haben bald ausgespielt; sie tun zwar so, als sei es
ein Spaß für sie, die grüne Wintersaat mit gelben Blättern
zu bestreuen, aber morgen schon ist es aus mit diesem kurz-
weiligen Spiele. Die Rotbuchen sind zäher; da ist noch manche,
die sich nicht ergeben will und so grün dasteht, als sei
sie zwei Monate im Kalender zurück, und die Eichen lehnen
die Zumutung, dem Herbst zuliebe das braune Kleid anzulegen,
mit Hohngebrumm ab.

Das hilft ihnen aber alles nichts; wollen sie heute nicht,
so müssen sie morgen. Eine Buche nach der anderen fügt sich
der Vorschrift und kleidet sich dem neuen Herrn zuliebe in
Goldgelb und Feuerrot, um dann Stück für Stück der bunten
Tracht wieder abzulegen und schließlich arm und leer dazustehen.
Den Eichen wird es nicht besser gehen; diese und jene Krone
bräunt sich schon, dichter wird der braune Teppich zu ihren
Füßen und eines Tages haben sie nichts mehr vor den Buchen
voraus, als den Ruhm, länger ausgehalten zu haben.

Es lohnt sich schon, diesem Kampf zwischen dem Walde und
dem Wetter zuzusehen, wo der Boden rot ist von den Wunden,
die der Herbst dem Walde schlug. Niemals im Jahre, selbst
im leichtsinnigen, lustigen Brachmonde nicht, ist der Berg so
bunt wie zur jetzigen Zeit, und so kahl sind die Wege und
Raine noch nicht, als daß sich nicht noch ein bescheidener Strauß

letzter Blumen finden und binden ließe mit einem prangenden
Hintergrunde von goldenem Blattwerk und silbernen Grasrispen,
einen wirklichen, handgreiflichen Strauß oder einen, der nur in
der Erinnerung blüht. Und es ist auch noch nicht so tot und
still im Walde, daß nicht ein lustiger Laut, ein froher Ruf die
Stille unterbräche oder die schwermütigen Herbstlieder der Kronen
auf einen fröhlicheren Ton stimmte.

Die alten Eichen am Eingange des Fahrweges brummen
ärgerlich, und die hohen Buchen murmeln zornig; der Grünspecht
aber lacht den Wind aus; wenn er von Stamm zu Stamm
flieht, funkelt sein roter Scheitel, leuchtet sein maigrüner Rücken
in der Sonne so unvorschriftsmäßig sommerfarbig, daß die
winzigen Goldhähnchen, die in dem winterdunklen Nadelwerk
der Kiefern schüchtern piepend umherhuschen, ein keckes Gezwitscher
erheben, daß der Fink noch einmal so laut seinen Lockton
hören läßt und der Zaunkönig im Rosenbusche zu singen anhebt,
als wäre der Frühling eben in den Wald gezogen.

Mag auch immer wieder brummiges Südwestgewölk über
die Berge kriechen, die Sonne läßt sich nicht unterdrücken.
Sie erobert sich die bunten Abhänge, nimmt das lachende Tal
hin, gibt der jungen Saat Maigrün und kleidet den Wald in
Zauberfarben. Mit klirrendem Lustschrei jagen sich die blitzenden
Krähen in der Luft, der Bussard schickt aus der Höhe seinen
klingenden Ruf hinab, und der Goldammerhahn auf dem Schlehenbusch findet das kleine Lied wieder, das er im jungen Sommer
sang, als der Rain zwischen Wald und Feld bunt von Blumen
war und voll von fröhlichem Volk.

So ganz kahl ist er heute noch nicht. Wer sich oft genug bücken mag, findet bunten Lohn. Hier und da lebt noch eine rote Flockblume oder ein weißer Stern, die sich vor der Sichel retteten, überall schimmern die kecken Maßliebchen, weiße Dolden stehen bei rosigem Tausendgüldenkraut, Hahnenfuß und Habichtskraut recken ihre gelben Blüten über das Gras, mit blauer Farbe können Braunwurz und Flockenblume dienen, und damit auch das grelle Rot nicht fehle, sprengt am Grenzsteine der wilde Mohn seine allerletzte Knospe, während den Graben entlang das Landrohr seine Silberrispen im Winde schwenkt und im Weißdornhagen die blanken Beeren wie Korallenketten leuchten. Über den letzten Blumen aber schwebt und summt es von blitzenden Fliegen und schimmernden Wespen. Nicht viele sind es mehr, aber doch immer genug, um Leben an den Rain zu bringen, und wenn die Sonne voll auf den Waldrand fällt, wirbeln Wolken silberner Wintermücken dahin.

Im Walde selbst ist es auch farbig genug, soweit die Sonne reicht. Da funkelt das bunte Laub, da wehen die Zweige und winken die Äste lustig und munter, in mailichem Grün prangt der grasige Weg, und das Reh, das mitten im Wege steht, bekommt eine warme Farbe, als trüge es noch sein rotes Sommerhaar. Eine Buche, die voll im Lichte steht, sieht aus, als hätte sie eben erst ihr Laub entfaltet, die krausen Stech-palmenhorste unter ihr sprühen silberne Funken umher, die Wedel der Farne verjüngen sich in der Sonne, die grauen Stämme nehmen den Ton alten Silbers an, und das Fallaub zwischen ihnen bekleidet den Abhang mit einem prunkvollen Teppich.

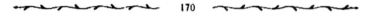

Finkenſchlag und Droſſellied hat der Wald nicht mehr, und
Mönch und Laubvogel ſind lange fort; ſteht die Sonne aber
vor den Wolken, dann flötet die Sprechmeiſe, lockt der Baum-
läufer, Meiſentrupps erfüllen die Kronen mit luſtigen Lauten,
Krammetsvögel lärmen dahin, der Dompfaff flötet durch das
Unterholz, die Eichelhäher ſchimpfen von Baum zu Baum, und
ihre nordiſchen Vettern, die ſeltſamen, langſchnäbligen Nußhäher,
ſeit langen Jahren einmal wieder hier zugereiſt, miſchen fremde
Laute in die bekannten Töne.

Im hohen Ort, wo die Sonne nicht hinkam, iſt es ſtill
und ſtumm, und nur das Geraſchel des Laubes geht um. Im
Lichtſchlage nebenan lodern alle Farben der Welt durcheinander
und finden ſich wieder in dem funkelnden Gefieder des Faſanen-
hahnes, der ſo ſtolz auf dem mooſigen Buchenſtumpfe hockt,
als meine er, der Wald bemühe ſich, ihm gleichzukommen an
Glanz und Pracht, bis der Wind auffriſcht und den bunten
Narren in die Dickung ſcheucht.

Nun aber wird es erſt recht luſtig auf der Rodung. Das
iſt ein Gezucke und Gezappel und Gerucke und Gerappel, ein
Funkeln und Flammen, ein Lodern und Leuchten, wild und
toll; aus allen Kronen rieſelt es herab, es wirbelt über die
Blöße, als ſchwebten tauſend goldene Schmetterlinge dahin, es
ſchwebt und gleitet, tanzt und ſpringt, fliegt und flattert,
wirbelt und wimmelt, daß es dem Haſen, der ſtillzufrieden im
Lager ſitzt, nicht mehr hier gefällt und er zu Felde rückt, wo
er vor dem Laubfalle Ruhe hat. Und ſo wie er fort iſt, verſchnauft
der ſchabernackſche Wind, und ſtille iſt es wieder im Walde.

Der Wind nahm die Sonne mit. Fahl sind die Höhen, trübe die Gründe, fort ist das rote Gold, verschwunden das schimmernde Silber, grau sind die Stämme und braun ist das Laub. Was eben so lustig klang, vom Tale her des Hundes Gebell, des Hahnes Ruf, heiser und hart klingt es jetzt, trübselig mutet der Dompfaffen Lockton an, häßlich der Häher Gekreisch, und die letzte Blume am Wegerand wirkt wie ein verlegener Witz in einem Sterbehause.

Über die Berge kommt die Dämmerung gekrochen, steigt in das Tal hinab und schiebt sich in den Wald, heuchlerische Tränen vergießend und verlogene Seufzer ausstoßend. Die Schatten rücken zusammen und drängen die Farben fort, jeder frohe Laut geht im hohlen Blättergeruschel unter, und irgendwo hinten im Walde spukt einer Eule gespenstiger Pfiff umher.

Aus ist es für heute mit des Waldes Pracht. Mit der Sonne kann sie wiederkommen, ist die Nacht vorüber. Mit jedem Morgen wird sie geringer sein. Schließlich bleibt nichts von ihr übrig als mürrische Stämme und ernste Kronen. Von allen den frohen Stimmen behält der Wald nur einen leisen Lockton, einen rauhen Ruf. Die Blumen am Raine fallen um, die blitzenden Fliegen vergehen. Der Herbst kommt zu seinem Rechte.

Heute kämpft er noch darum, muß sich noch viel bemühen, ehe er die Farben tötet, bis kein Mensch mehr pflücken kann einen bunten Spätherbststrauß im bunten Wald.

Die Gefolgschaft der Menschen

s ift ein Heidmoor, eins der vielen Norddeutschlands, unberührt, urwüchfig, wild und weit. Heidkraut, Torfmoos, Wollblumen und Riedgras bilden den Untergrund der Pflanzenwelt; einzelne Birken, Kiefern und Wachholder überschneiden die braune Fläche. Ganz fern bollwerkt ein Wald wie ein schwarzer Strich.

So fah es vor hundert Jahren hier aus, und vor taufend und vor zehntaufend. Alle dreißig Jahre änderte hier und da der Torffstich ein wenig das Bild, bis das alles gleichmachende Torfmoos und nach ihm Ried, Wollblume und Heide die Spuren menschlicher Arbeit hier verwischten. Selbft große Moorbrände änderten wenig an dem alten Bilde. Auch die Tierwelt blieb, wie fie war, nachdem Mammut und Riefenhirsch, Moschusochs und Renntier und noch viel fpäter Wifent und Elch und wieder einige Zeit nachher Bär und Luchs und noch fpäter Biber und Wolf verschwunden waren. Das Rotwild und die Sauen wechfeln nach wie vor über das Moor, wenig Rehe, noch weniger Hafen leben in ihm und Fuchs und Otter, Dachs und Iltis. Heute noch, wie zu Urzeiten, jagen dort Schwarzftorch und Schreiadler die Kreuzotter, trompetet der Kranich bei Sonnenaufgang, klagt die Mooreule in der Dämmerung, ruft

der Regenpfeifer, spinnt die Nachtschwalbe, meckert die Heer-
schnepfe. Saufenden Fluges streicht der Birkhahn dahin, über
die Sinken schwebt die Wiesenweihe, aus den Wolken dudelt
die Heidlerche, Pieper und Rohrammer trillern und zwitschern.

Ein Menschenpaar zieht in das Moor, ein Knecht und eine
Magd. Sie haben lange genug gedient; nun wollen sie frei
sein auf eigener Scholle im weiten Moore. Ein Haus entsteht,
ein Gärtchen wächst, eine Wiese grünt auf, Ackerland drängt
die Heide fort, Zaunwerk ragt auf, Obstbäume kämpfen sich
hoch, Stauwerke und Stege bringen neue Farben in die Wildnis.
Ein Jahr geht hin. Es ist ein Sommersonntag, warm und still.
Mann und Frau sitzen auf der Knüppelbank vor der Türe
und sehen in das Abendrot. Aus dem Hause schallt das frohe
Gekrähe des Erben, den die Großmutter hütet. Da zickzackt
ein schwarzes Ding um den halbkranken Pflaumbaum. Der
Mann zeigt mit der Pfeifenspitze danach: „Eine Fledermaus!"
sagt er und lächelt.

Herbst wird es. Die Ernte ist geborgen. Sie fiel mager
aus, aber es langt für drei Menschen. Der Bauer pflügt die
Stoppel um. Da kommt zwitschernd ein Flug kleiner Vögel
heran und fällt auf der Stoppel ein. Der Mann lächelt
wieder. Die ersten Spatzen sind es, die sich hier sehen lassen.
Vorläufig sind es erst Feldspatzen.

Der Wind stößt den Schnee gegen die Scheiben. Bei der
Tranlampe flickt die Frau des Mannes Zeug; er flicht Bienen-
körbe. Im Ofen glühen Heidschollen und verbreiten einen
strengen Geruch. Hinter dem Schranke raschelt es. Mann und

Frau sehen sich an. Es piept, ein schwarzes Ding huscht scheu durch die Stube. „Wahrhaftig eine Maus! Wo kommt die wohl her?"

Die Jahre gehen. Die Bäume halten schon ihre Zweige über das Haus, die Stachelbeerbüsche hängen über den grauen Zaun. Im Garten blühen bunte Blumen. Rund um die Anbauernstelle mußte jedes Jahr ein Stück Heide vor Wiese und Acker zurückgehen. Und jedes Jahr brachte neue Gäste. Zuerst brütete ein paar Feldspatzen unter dem Dache. Dann siedelte sich die weiße Bachstelze an. Als sechs Kühe auf der Weide waren, kam die gelbe Bachstelze hinzu, und nach ihr ein paar Elstern. Auch die Wanderratte stellte sich ein, wurde aber vertilgt. Den Hausmäusen folgte das kleine Wiesel. Zwischen den Heidlerchen singen Feldlerchen. Hausspatzen kamen vom fernen Dorf zu Besuch; schließlich baute ein Paar. In einem alten Kasten, den der Bauer an den Stall hing, brütet der Star. Die Hasen werden häufiger; um die jungen Kohlpflanzen müssen schon Scheuchen gestellt werden. Auf einmal war auch ein Rebhuhnpaar da und brachte die Brut hoch; der Hahn lockt jeden Abend und alle Morgen in den Kartoffeln. Am Backkaue hat der Fliegenschnäpper sein Nest, im Stall die Rauchschwalbe.

Weiter oben im Moore steht noch ein Haus, ein neues, es trägt ein Ziegeldach. Von dessen First singt der Hausrotschwanz. Im Schafstall brütet das Steinkäuzchen. Holunder und Flieder blühen dort; in ihnen klettert singend der Gartenspottvogel umher. Jeder der sechs Starkästen ist besetzt. Das

Rad auf dem Dache stand drei Jahre leer; jetzt klappert der Storch darauf. Eine neue, dem Moore fremde Tierwelt ergriff Besitz von den beiden Flecken Baulandes, zu dem die Ansiedler das Urland umwandelten. In der Fährte des Menschen rückte seine Gefolgschaft an.

Dieser Vorgang, der sich heute überall wiederholt, wo der Mensch das Urland zur Kulturschicht macht, ist so alt wie alle menschliche Kultur. Schon der Wanderhirt griff in die Zusammensetzung der Tierwelt ein. Der Jäger und Fischer der Urzeit tat das noch nicht. Er stand nicht über der Tierwelt, er lebte in ihr; er war nicht ihr Herr, er war nur der verschlagenste, gefährlichste Räuber. Mit seiner geringen, durch ewige Stammeskriege, Hunger und Seuchen zurückgehaltenen Vermehrung brachte er es zu keinem festen Gesellschaftsgefüge, so daß sein Einfluß auf die Tierwelt gering war. Er hatte keinen festen Wohnsitz; seine Horden zogen den Beutetieren nach, wanderten ihnen entgegen. Er wehrte die Raubtiere ab, so gut er es konnte, und tötete von den Nutztieren so viele, als er frisch aufbrauchen oder durch Eis, Rauch und Sonne aufbewahren konnte. Er jagte nie zum Vergnügen, immer nur zum Bedarf, und so vertrieb er kein Tier, rottete er keine Art aus und lockte auch keine fremden Arten an.

Das wurde anders, als der Wanderhirte auftrat. Der mußte sein Vieh gegen die Raubtiere schützen; er war auch gezwungen, die Wildpferde und Wildrinder zu vertreiben oder auszurotten. Er befehdete sie, so gut wie er konnte, schreckte sie mit Klappern und Feuer fort, holzte ihre Verstecke ab,

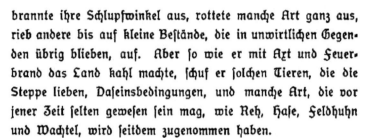

brannte ihre Schlupfwinkel aus, rottete manche Art ganz aus, rieb andere bis auf kleine Bestände, die in unwirtlichen Gegenden übrig blieben, auf. Aber so wie er mit Axt und Feuerbrand das Land kahl machte, schuf er solchen Tieren, die die Steppe lieben, Daseinsbedingungen, und manche Art, die vor jener Zeit selten gewesen sein mag, wie Reh, Hase, Feldhuhn und Wachtel, wird seitdem zugenommen haben.

Andere Tiere dagegen, die in dem Lande bisher wenig Nahrung und Brutgelegenheit fanden, wie die Schwalben, merkten, daß sich ihre Nester an seiner Rindenhütte, an seiner Fellkibittke ebenso gut bauen ließen wie an den Klippen des Mittelmeeres, und da die Fliegenschwärme, die sein Vieh umsummten, ihnen reichliche Nahrung boten, so siedelten sie sich bei ihm an, wie sie heute noch bei den Wanderhirten Nordasiens leben.

Als der Mensch aus dem Wanderhirten Weidebauer wurde, sich ein festes Haus baute, sich umzäunte Viehweiden schuf, auch ein wenig Acker- und Wildwiesenbau trieb, da bot er wieder einer ganzen Anzahl von Tieren südlicher und östlicher Herkunft bequeme Daseinsbedingungen. Südliche Fledermäuse, die im Norden bisher keine warmen Schlafräume fanden, stellten sich in seinen Gebäuden ein; die Hausmaus folgte dem Getreidebau, das kleine Wiesel und der Steinmarder der Hausmaus, und eine Vogelart nach der anderen rückte vom Süden und Osten vor und nahm von dem Lande Besitz. Damals werden sich der Storch und der Kiebitz, die weiße und die gelbe Bachstelze, die Elster und die Dohle, die vier Würgerarten, der

Wiedehopf, die Blauracke und das Steinkäuzchen bei uns niedergelassen haben, alles Vögel, die freies, steppenähnliches Gelände, Wiesen oder die Nähe von Weidevieh gebrauchen, um bei uns bequem leben zu können.

Je mehr der Mensch zum Ackerbau überging, je mehr fremde Getreidearten er anbaute, je enger sich die Weiler zu dörflichen Verbänden aneinander drängten, sich mit Straßen verbanden, je mehr Urland zu Weide, Acker und Wiese umge-wandelt wurde, um so mehr nahm dort die ursprüngliche Tierwelt ab, um so stärker war die Einwanderung und Ver-mehrung fremder Arten.

Immer mehr breitete sich die Kultur aus, immer mehr schrumpfte das Urland zusammen. Aus Dörfern wurden Flecken, aus Flecken Städte. Um jede Niederlassung bildete sich ein neues Stück der Kulturschicht, das durch Wege und Straßen mit den älteren Kulturflächen verbunden war; immer mehr wurde die alte Tierwelt zurückgedrängt, immer mehr breiteten sich die neuen Tierarten aus und erhielten neuen Zuzug.

Die großen Umwälzungen, die die Völkerwanderungen und die Feldzüge der Römer in politischer Beziehung brachten, hatten auch in naturgeschichtlicher Hinsicht bedeutenden Einfluß. Die wandernden Volksmassen schleppten neue Fruchtarten mit, mit denen neue Schädlinge folgten, wie die alte Hausratte, die dann am Ausgange des Mittelalters wieder von der Wander-ratte verdrängt wurde. Auch die Eroberung Nordwestdeutschlands durch die Franken wird neben vielen Nutz- und Zierpflanzen manche wilde Tierart des Südens zu uns gebracht haben, und

da die Kreuzfahrer eine ganze Anzahl südlicher Nutz- und Ziergewächse, so auch den spanischen Flieder einführten, ist anzunehmen, daß um diese Zeit die spanische Fliege, die an Syringen frißt, und einer unserer besten Singvögel, der Gartenlaubvogel, bei uns eingewandert sind, denn er findet sich fast nur in solchen Gärten und Anlagen, in denen viele Syringen stehen.

Diese Zuwanderung südlicher und östlicher Formen findet fortwährend statt. Je mehr Deutschland durch die Zunahme der Bebauung zu einer Kultursteppe wird, je mehr sein Straßen- und Schienennetz es mit dem Süden und Osten verbindet, um so mehr drängt die Tierwelt des Südens und Ostens nach uns hin.

Vögel, nach ihrer ganzen Lebensweise, nach Färbung und Stimme, ausgesprochene Steppentiere, wie Haubenlerche und Grauammer, sind erst seit verhältnismäßig kurzer Zeit bei uns heimisch. Der Hausrotschwanz, ursprünglich ein Klippenvogel der Mittelmeerländer, findet, daß es sich auf unseren künstlichen Klippen, den Dächern, ebenso gut leben läßt wie im Süden, und so bürgerte er sich vor hundert Jahren bei uns ein; der Girlitz, ein hübscher kleiner Fink Südeuropas, Vorderasiens und Nordafrikas, ist seit ungefähr fünfzig Jahren bei uns heimisch geworden und nimmt mit der Zunahme des Obstbaues ständig zu, und es ist nicht unwahrscheinlich, daß sich auch die Zwergtrappe, ja vielleicht sogar das Steppenhuhn auf die Dauer bei uns seßhaft machen.

Bei vielen Tieren, von denen man annehmen kann, daß sie zu der eingewanderten Tierwelt Deutschlands gehören, läßt sich der Nachweis nicht führen, daß sie einst zugereist sind. Wenn aber ein Vogel, wie unfere Turmfchwalbe, jetzt einer unferer gemeinften Stadtvögel, feine ganze nächfte Verwandtfchaft im Süden hat, außerdem nach Färbung und Stimme uns fehr fremd anmutet, fo kann man ruhig annehmen, daß er aus dem Süden ftammt und erft bei uns einwanderte, als höhere Steinbauten, zuerft wahrfcheinlich die Kirchen und Burgen, ihm das boten, was er bei uns früher nicht überall fand, die Klippen.

Wenn andererfeits ein Vogel, wie der Gartenammer, in Norddeutfchland verhältnismäßig felten ift und nur an Land= ftraßen auf bebautem Sandlande vorkommt, während er im Süden häufiger und nicht fo wählerifch in feinem Aufenthalte ift, oder wenn die hübfche Brandmaus auf Sandboden und Ur= land niemals bei uns vorkommt, fondern nur auf fchwerem, bebautem Boden lebt, fo ift auch von diefen anzunehmen, daß es Einwanderer find, wenn auch ihre Einwanderung fchon fehr lange zurückliegt.

Die Fledermäufe, die nur in Ortfchaften bei uns leben, wie die kleine Hufeifennafe, die langohrige, die Mops=, die rauh= häutige, die Zwerg=, die fpätfliegende und die gemeine Fleder= maus, und die Spitzmäufe, die, wie die Haus= und die Feld= fpitzmaus, nur in und bei Gebäuden, in Gärten und dicht bei den Ortfchaften liegenden Feldern bei uns vorkommen, Maus= wiefel und Steinmarder, die immer in der Nähe der Menfchen leben, ein Vogel, deffen Stimme, wie die der Nachtigall, gar nicht in die deutfche Landfchaft hineinpaßt, oder die, wie Haus= und Feldfperling, Feldlerche, weiße und gelbe Bachftelze, Elfter, Storch und Kiebitz ohne die Nähe menfchlicher Gebäude oder

12*

von Ackerland und Wiese nicht zu denken sind, können mit gutem Gewissen als Einwanderer betrachtet werden, denen der Mensch erst Vorarbeiten leisten mußte, ehe sie sich hier heimisch machen konnten.

So haben wir zwei getrennte Tierwelten bei uns, eine ursprüngliche, an urwüchsiges Land, und eine hinzugekommene, an die jüngste Erdschicht, nämlich an die Kulturschicht gebundene. Der ursprüngliche Wald, die Heide, das Moor, das unbewohnte Gebirge haben eine ganz andere Tierwelt als die auf ihnen zerstreuten menschlichen Siedlungen mit ihren künstlichen Steppen, den Äckern, Wiesen und Weiden, ihren künstlichen Gebüschen und Wäldchen, den Gärten, Friedhöfen und Anlagen, mit ihren künstlichen Felsklippen, den Häusern, ihren künstlichen Dolomiten, den Dörfern, ihren künstlichen Gebirgszügen, den Städten. Jedes-Stück Bauland im Urland ist ein abgesondertes Gebiet, dessen Tierwelt größere Verschiedenheiten aufweist als die von Ebene und Bergland, Wald und Heide.

Erdkräfte schufen früher allein an dem Aufbau der Tierwelt; dann half der Mensch dabei mit. Der jüngsten geologischen Schicht, dem Quartär, zwang er eine noch jüngere auf, das Quintär; er schuf ihr ein eigenes Pflanzenbild, die Kultur- und Advenaflora, und eine eigene Tierwelt, die Quintärfauna, zu der sowohl die weite Ferne wie die Nähe beisteuern mußte; er drückte der Natur seinen Stempel auf, schuf sie um.

Der echten Quintärfauna, seiner alten Gefolgschaft, schuf der Mensch von Tag zu Tag bessere Lebensbedingungen; je mehr Häuser, je mehr Gärten, Felder und Wiesen es gibt, um so

beſſer geht es Maus und Ratte, Spaß und Lerche. Die übrige
Tierwelt ſtellt er aber fortwährend vor eine neue Form des
Kampfes um das Daſein. Jahrhunderte lang behielt die
Kulturſchicht Deutſchlands im großen und ganzen die alte Form;
da änderte der Menſch ſie völlig durch die Verkoppelung, die
die Einzelbäume und Wäldchen, Hecken und Feldbüſche beſeitigte.
Nun hieß es für viele Tierarten: „Biegen oder brechen; paß
dich an oder ſtirb!"

Und ſo wie bei uns, iſt es auch in anderen Ländern, anderen Erdteilen; hinter dem Kulturmenſchen her zog von alters-
her eine Gefolgſchaft von Säugetieren, Vögeln, Kerbtieren und
Schnecken, gar nicht zu gedenken der Schmarotzer an Menſch
und Vieh, und wo heute die neue, europäiſche Kultur die alten
Kulturen umformt oder ausbaut, da bringt ſie, ſoweit es das
Klima zuläßt, der alten Gefolgſchaft der Menſchen eine neue,
führt den Spaß in Amerika ein, ſchleppt die Wanderratte über
alle Erdteile, die Kellerſchnecke durch alle Breiten, und inter-
national, wie er ſelber, wird auch die Gefolgſchaft des Menſchen.

Fahrende Sänger

Lange war es still in den Gärten und Wäldern; schon im Juli stellte die Nachtigall ihren Gesang ein, der Buchfink ließ sein Geschmetter nicht mehr erschallen. Mönch und Rotkehlchen verstummten, Spötter und Amsel schwiegen; Brutgeschäft und Kinderpflege ließen ihnen keine Zeit zum Singen. Als der August in das Land kam, wurde es noch stiller; der lästigste Schreihals der Großstadt, der Mauersegler, der im Mai erst bei uns eingetroffen war, verschwand mit seiner flüggen Brut, der Kuckuck strich stumm von Wald zu Wald, der Pirol erfüllte die Buchenkronen nicht mehr mit seinem Geflöte, selbst die immer lauten Meisen und der stets lärmende Häher ließen sich nicht vernehmen.

Ihnen allen war nicht wohl zumute. Die einen, die, wie Nachtschwalbe, Kuckuck, Wiedehopf, Spötter und Pirol, uns schon früh verlassen, plagte das Reisefieber, die andern litten unter der Mauser; mißmutig, unansehnlich und struppig schlüpften sie von Ast zu Ast und scheuten es in ihrer Unbeholfenheit, durch lautes Wesen ihre Feinde auf sich aufmerksam zu machen. Als aber die Mauser beendet, als das neue Herbstgefieder bis auf das letzte Federchen fertig war, da kam ihnen der Lebensmut zurück. Sobald der Nordwestwind an den Südwest auf einen

Tag die Herrschaft abtrat, kehrte ihnen die verloren gegangene
Lebensfreude wieder, und aus allen Hecken, allen Büschen pfiff
und zwitscherte, sang und klang es: der Buchfink übte den
alten Schlag, die Ammer suchte ihre verlorene Weise zusammen,
die Amsel besann sich auf ihren vergessenen Sang und das
Rotkehlchen sang wieder sein silbernes Liedchen.

Die Stare, die lange verschwunden waren, kehrten aus den
Marschen zurück, pfiffen in der Frühe vor ihren Häusern und
schlugen sich abends wieder zu Massenflügen zusammen, die
brausend in die Pappeln einfielen, um nach lärmender Unter-
haltung wie eine Wolke in den Rohrdickichten der Flüsse und
Teiche ihre Schlafstätten aufzusuchen; auf dem Dachfirst krächzte
der Hausrotschwanz wieder, im Walde lärmte der Häher, lockte
die Meise, und überall in Dorn und Dickicht zwitscherten die
jungen Hähne der Braunellen und Grasmücken. Aber von Tag
zu Tag wird es jetzt stiller in Wald und Feld, Garten und
Busch; einer nach dem anderen aus der Sängerschar verläßt
uns, tritt entweder die Reise nach dem Süden an oder zieht
weiter, um seinen Artgenossen aus dem Norden und Osten
Platz zu machen; anscheinend ziellos wandert alles von Feld
zu Feld, von Busch zu Busch, von Wald zu Wald, und unter
alle dem bunten, lustigen Volk, das heute bei uns sich noch
herumtreibt, ist kaum ein Stück, das hier gebrütet hat, oder
das hier erbrütet wurde.

Die Wissenschaft von früher teilte die Vögel in Stand-,
Strich- und Zugvögel ein. Die heutige Vogelkunde hat diese
Begrenzungen fallen lassen; sie weiß längst, daß, die Spatzen

ausgenommen, alle Standvögel streichen, daß alle Strichvögel
ziehen; sie teilt heute die Vögel in Sommervögel ein, die, wie
Pirol, Kuckuck und Segler, nur im Sommer bei uns leben, in
Wintervögel, die, wie die Nebelkrähe und Wacholderdroffel und
der große Dompfaff, nur den Winter bei uns verbringen.
Dann unterscheidet sie noch Jahresvögel, von denen man das
ganze Jahr über Stücke bei uns trifft, wie vom Grünfink und der
Rabenkrähe, ohne daß sie aber sagen kann, ob im Winter oder
Sommer dieselben Stücke bei uns bleiben, und in bedingte
Jahresvögel, von denen, wie von Schwarzdroffel und Buchfink,
ein Teil hier bleibt, ein Teil fortzieht; doch auch bei
diesen ist es fraglich, ob nicht die bei uns lebenden Stücke
fortziehen und nordischen und östlichen Individuen derselben
Art Platz machen.

Als unbedingter Jahresvogel galt früher der Eichelhäher,
denn diesen Vogel trifft man Sommer und Winter bei uns;
aber die meist in großen Flügen im Herbst bei uns auftretenden
Häher sind viel vertrauter als die im Sommer bei uns lebenden,
und so kann man getrost annehmen, daß es Stücke sind, die
aus Gegenden kommen, wo noch keine so intensive Kultur
herrscht, wo ihnen also wenig oder gar nicht nachgestellt wird.

Auch die Rabenkrähen, Raubwürger, Buffarde, Ringeltauben,
Spechte, Kernbeißer, die sich im Herbst und Winter bei uns
zeigen, sind lange nicht so scheu wie ihre hier brütenden Art-
genoffen, wogegen die Winteramseln unserer Wälder bedeutend
scheuer sind als unsere einheimischen, an die Nähe der Menschen
gewöhnten Schwarzdroffeln, so daß hier wieder eine Art des

Beweises für ihre Herkunft aus der Ferne vorliegt. Und wenn, was oft genug vorkommt, im Herbst und Winter der den Menschen so ängstlich meidende Wanderfalke auf dem Kirchturme einer Großstadt seinen Stand nimmt, um der Taubenjagd obzuliegen, so geht daraus bestimmt hervor, daß er aus einer einsamen skandinavischen Klippenecke, aus einem fernen Walde im menschenarmen Rußland herstammt.

Aber viel von dem bunten Volk, das Herbst und Winter uns bringen, verrät schon durch seine Artzugehörigkeit seine fremde Herkunft. Auf unseren Nord- und Ostsee-Inseln erscheinen zu Tausenden und Abertausenden nordische Strandläufer, Regenpfeifer, Möwen, Enten, Gänse und Taucher; der isländische Zwergfalke sucht in unseren kahlen Feldern Beute, der Seeadler des Nordostens besucht die Seen Deutschlands, und an allen größeren Flüssen entlang wandern kleine und große Trupps von Möwen.

Auch in den Wäldern wird es wieder lauter. Wo eben noch lautlose Leblosigkeit war, da piept und zwitschert, lockt und klingt es in allen Ästen; Hunderte von Goldhähnchen beleben plötzlich die Kronen mit Flug und Gewisper, ein lärmender Meisentrupp nach dem anderen zieht durch das Unterholz, Scharen von Kernbeißern, Bergfinken und Dompfaffen erfüllen den Wald mit Klängen und Farben, und auf Schritt und Tritt erschallt der scharfe Ruf der Buntspechte.

Ist im Norden die Zirbenernte geraten, haben die Beerensträucher, die Erlen und Birken mangelhaft angesetzt, dann drängt der Hunger allerlei Vögel nach dem Süden, die sich seit

Da draußen vor dem Tore.   13

Jahren bei uns nicht zeigten. Dann wimmeln unsere Fluß=
wälder von Berghänflingen und Erlenzeisigen, in den Buchen=
waldungen erscheinen Hakengimpel und Rußhäher, und die
prachtvollen Seidenschwänze mästen sich an den roten Früchten
der Eberesche. Und gibt es im Norden wenig Mäuse und
Lemminge, dann müssen auch deren Feinde südwärts, die fein
gezeichnete Sperbereule und der große weiße Schneekauz.

Auch die nordischen Drosselarten zeigen sich um diese Zeit
bei uns: mit den auch bei uns lebenden Schwarz=, Sing= und
Misteldrosseln erscheinen in kleineren und größeren Trupps
Ring=, Wein= und Wacholderdrosseln, und nicht mehr fallen sie,
wie einst, mit unseren Singdrosseln einem der letzten Reste
barbarischer Vogelmassenmörderei in Deutschland, dem Dohnen=
stiege, zum Opfer, sondern dürfen frei bei uns schweifen, bis
im Süden, in der italienischen Schweiz, in Welschtirol und in
Italien, der Mensch ihnen wieder mit Drosselheerd und Schieß=
gewehr nachstellt.

Wir aber wollen uns freuen, daß dieser Unfug bei uns
aufgehört hat, daß nicht mehr mit Sprenkel und Dohne ver=
mindert werden im deutschen Vaterlande die fahrenden Sänger.

Die letzten Blumen

Viel ist es ja nicht, was jetzt noch blüht hier draußen vor dem Tore, aber doch immer etwas. Im Frühling die erste Blume am Grabenrand, der goldne Huflattich, er ist uns so viel wert, und die letzte Blume bei Wintersanfang, des Spätsommers nachgelassenes Werk, es ist uns auch so lieb. Als alles noch bunt war da draußen und voll von Farben, da hätten wir es übersehen. Heute aber, auf dem braunen Acker, am fahlen Grabenbord, im dürren Fallaub, sehen unsere Augen dankbar danach hin.

Wenn es auch Unkraut ist, wenn es auch Schuttpflanzen sind, die da noch blühen, oder kümmerliche Spätlinge, mager und dürftig, oder einer Nutzpflanze Blüte, es lacht uns doch an, alles, was jetzt noch blüht, und wir lächeln ihm freundlich zu in dieser Welt voll Tod und Schlaf. Wir gehen mit der Hungerharke über das Land, wir Armen, und sind froh über die Reste, die uns der Sommer ließ, der reiche Mann.

Wer fleißig ist, wer sich bücken kann und Augen hat, der kann heute noch einen bunten Strauß mitbringen. Nicht ein so helles, frisches, leuchtendes Bündel wie im Frühling, kein so stolzes, vielfarbiges, prangendes Gebinde wie im Sommer, aber doch einen Blumenstrauß, wie er für des Jahres Greisentum

13*

paßt. Auch von unſerem eigenen Leben verlangen wir ja nicht
mehr ſo viel Freuden, wenn wir in den Winter hinein-
gewachſen ſind.

Eins iſt ſo ſonderbar bei den Gewächſen, die unter der
Senſe des Froſtes noch blühen. Es ſind ſo viele dabei, die im
erſten Frühling blühen und jetzt noch einmal, vor dem Tode,
ihre letzte Kraft in bunten Blumen ausſtrömen.

Im Raſen leuchtet eine goldne Kettenblume. Und da noch
eine und drüben die dritte und dort noch mehr, zwanzig,
dreißig kleine goldne Sonnen zwiſchen den braunen Linden-
blättern, die der Wind dahin warf. Wenn die Maiſonne
lacht, dann iſt ihre Blütezeit. Wenn Apfelblütenblätterſchnee-
geſtöber in das junge Gras fällt und die Finken ſchlagen, dann
ſitzen die kleinen Mädchen im Graſe mit ernſten Geſichtern, den
Schoß gehäuft voll der goldnen Blumen mit den langen Röhren-
ſtielen, aus denen weißer, bitterer Saft tropft. Mit ſpitzen
Fingern köpfen ſie die Blumen, ſchieben die Stielenden ineinander und machen ſich wunderſchöne Ketten und Ohr-
gehänge davon.

Aber alles hat ſeine Zeit. Das kleine Mädel da, das an
der Hand ſeiner Mutter dahinmarſchiert, ſieht die Blumen nicht
und denkt nicht daran, davon Ketten zu machen. Das paßt
nicht in dieſe Jahreszeit. Kinder haben ein feines Gefühl für
ſo etwas. Mag die Sonne auch noch ſo warm ſcheinen, ſie
würden niemals im Winter Kreiſel ſpielen. Erſt, wenn der
Menſch erwachſen iſt, trägt er Märzveilchen im Januar und
läßt ſich Kirſchen von der Riviera kommen.

Andere Blumen gibt es, die blühen immer, vom ersten
Frühling bis zum Schneefall. Aber das ist meist gewöhnliches
Volk, das nicht weiß, was sich schickt. Da sind rote und weiße
Taubnesseln, Stinkstorchschnabel und Reiherschnabel, Vogelmiere
und Kreuzkraut, Hirtentäschel und Ackerdistel und irgend solch
gemeines Habichtskraut oder ein gewöhnlicher Milchlattich.

Mit dem Gänseblümchen hat es aber eine andere Be-
wandtnis. Im Frühling findet man es blühend, es blüht den
ganzen Sommer und den Herbst über, und eben, daß im Winter
die Sonne den Schnee forttaut, dann ist es wieder da. Es hat
so viel Freude an der Sonne und soviel Dankbarkeit für sie,
das kleine, bescheidene Ding, und darum blüht es. Die anderen
aber blühen, weil es ihnen so gut geht auf ihrem Schutt und
Dünger.

Andere aber wieder blühen, weil sie den Sommer nicht
dazu kamen. Da stand das Grünfutter zu dicht und die Kartoffeln bollwerkten zu sehr. Jetzt, da sie fort sind, holen sie
nach, was sie versäumen mußten. Und darum ist die Brache
so voll von blauen Kornblumen und der verfahrene Acker so
bunt von rotem Mohn.

Wieder andere hätten blühen können, wenn nicht die
Sense sie geduckt hätte. Die schlug ihnen die Knospen ab, der
weißen Schafgarbe, dem goldnen Hahnenfuß und der saftigen
Dotterblume. Lange siechten sie und kränkelten, aber sie hielten
es durch und brachten es doch zu einer Blüte in letzter Stunde.

So aber, wie der böse Hederich, so blühen sie nicht. Wie
ist man dem zu Leibe gegangen! Bündelweise wurde er aus-

gerauft, zertreten und zertrampelt. Aber immer kam er wieder, und wo im Sommer nichts mehr von ihm übrig, zu sehen war, da färbt er jetzt wieder alles goldgelb. Der vergeht nicht, er gehört ja auch zum Unkraut.

Böse kann man ihm aber nicht sein. Er bringt doch Leben in die toten Farben des Feldes und Sonne in die frostigen Töne, und ohne ihn wäre es zu traurig jetzt auf den Äckern.

Unkraut ist fast alles, was man jetzt pflückt, oder dürftiges, ärmliches Zeug. Je später es wird in der Zeit, um so bescheidener wird der Mensch. Und so freut er sich der blühenden Unkräuter, sind es doch die letzten Blumen.

Er der herrlichste von allen

Was war das eben da über dem Bache, das bunte Ding, das mit schrillem Pfiff dahinstob? War es ein Vogel oder ein Falter, und wenn es ein Vogel war, aus welchem Lande kam er, der mit Himmelblau und Maibaumgrün und Silberweiß und Rot hier mitten in die Schneelandschaft Farben aus einer Welt hineintrug, die Hundert- tausende von Jahren hinter uns liegt, Farben, wie sie die Vögel Indiens und Südamerikas vorweisen, Farben, die nur in Palmen zu denken sind.

Es war kein Kolibri, es war ein guter alter Deutscher, unser schönster Vogel, der Eisvogel, der nur deswegen wenig bekannt ist, weil dieses Prachtkerlchen in der warmen Jahres- zeit ein recht verborgenes Leben an den stillen Ufern buschreicher Flüsse und Bächer führt und erst im Winter sich überall herum- treibt, wo es ein winziges Fischchen, einen Wurm, einen Wasser- käfer oder eine Larve zu erbeuten gibt. Und so kann man ihn, wenn man die Augen offen hält, besonders an schnellen Gräben öfter antreffen.

Dort sitzt er stumm, nur ab und zu den Kopf drehend, auf einer über das Wasser hängenden Dornranke, einem Zweig oder einem Pfahl und lauert, bis seine scharfen Augen irgendeine kleine Beute im Wasser erspähen. Mit einem jähen Ruck plumpst er dann in das Wasser, kommt in einem Sprühregen wieder zum Vorschein, schüttelt die Wasserperlen von seinem bunten Gefieder, wirft den Kopf in den Nacken, schleudert mit kurzem Ruck seine Beute ein Stückchen in die Luft, fängt sie mit dem zollangen, spitzen Schnäbelchen so auf, daß der Kopf des Fisches oder der Larve nach unten liegt, und würgt sie hinab. Um die jetzige Zeit ist er oft so vertraut, daß man sich ihm bis auf zehn Schritt nähern und sein wundervolles Federkleid bewundern kann, den rostroten Bauch, die silberweiße Kehle, den lasurblauen Rücken, die grünblauen Flügel, den dunklen Backstreif und die mennigroten Füßchen. Obgleich der kleine Kerl kaum Spatzengröße hat, ist er durch seine leuchtenden Farben, seine ulkige Gestalt, an der der lange Schnabel und das winzige Schwänzchen besonders auffallen, eine so seltsame Erscheinung, daß er von jedem Menschen beachtet werden muß, der ihn zufällig erblickt.

In unserer einheimischen Vogelwelt ist der Eisvogel eine eigenartige Erscheinung, der hier keine nahen Verwandten hat. Seine ganze Verwandtschaft befindet sich in den heißen Ländern und bringt es dort zu recht ansehnlicher Größe. Seine nächsten Verwandten in Europa sind die herrliche Blauracke und der prächtige Bienenwolf Südeuropas, der sich ab und zu nach Deutschland verfliegt.

An fischreichen Flüssen und Bächen mit steilen, buschigen Ufern spielt sich von Frühling bis zum Herbst das Familien- leben des Eisvogels ab. An einer abschüssigen, unzugänglichen

Stelle des lehmigen Flußufers pickt sich das Pärchen, das sich
im Gefieder kaum voneinander unterscheidet, eine zwei und
einen halben bis drei Fuß lange, zwei Zoll im Lichten haltende
Höhle mit kesselartig erweitertem Ende in die Erde, wo das
Weibchen auf einer Unterlage von Wasserjungferflügeln seine
fünf bis sieben auffallend großen, kugelrunden, spiegelblanken,
weißen Eier legt, deren Schale so durchsichtig ist, daß man
den Dotter erblicken kann.

Die jungen Eisvögel sind schnurrige Wesen. Von ihrer
späteren Schönheit ist zuerst wenig zu sehen. Sie sind ganz
nackt, haben mächtige Köpfe, und der Unterschnabel ist nur
halb so lang wie der Oberschnabel. Da es sehr lange dauert,
bis die Spulen platzen, so sehen die halb erwachsenen Eisvögel
fast wie kleine Zaunigel aus mit den langen, weißen, spitzen
Posen. Dazu riechen sie noch stark nach Bisam. Auch halten
die kleinen Kerle wenig auf Reinlichkeit; sie beschmeißen die
Wände der Nesthöhle derartig, daß derjenige, der einmal ver-
sucht hat, junge Eisvögel auszunehmen, es niemals wiederholt.
Wenn die Jungen flügge sind, dann prangen sie in einem so
herrlichen Federkleide wie die Alten.

Um diese Zeit gelingt es auch wohl einmal, an einer stillen
Bachbucht eine Eisvogelfamilie zu beobachten. Wer es einmal
erlebt hat, der vergißt das niemals, denn wenn sechs oder acht
dieser farbenprächtigen Kerlchen durcheinander flirren, so ist
das ein Leuchten, Funkeln, Blitzen, Schimmern und Glänzen,
ein kunterbuntes Gewirr von Rot, Weiß, Blau und Grün
zwischen den Büschen und über dem Wasser, eine jähe Folge

fchärfer und fchriller Töne, ein fortwährendes Plumpfen und
Sprißen des Waffers, daß man unwillkürlich die einheimifche
Pflanzenwelt vergißt und erftaunt ift, keine Palmen und Lianen
um fich zu fehen. Noch reizender ift es, zuzufehen, wenn der
männliche Eisvogel feiner kleinen Frau den hof macht, was
man im Vorfrühling manchmal beobachten kann. Das Weibchen
fißt dann im vollen Sonnenfchein auf einem hervorragenden
Aft, Pfahl oder Stein und wippt gefchmeichelt mit dem
Stummelfchwänzchen, und das Männchen umflattert es mit
gellendem Gefchrei, in fcharfen Zickzackfchwenkungen, feines
hochzeitsröckchens Wunderpracht zur fchönften Geltung bringend.

So reizend unfer Eisvogel und gering der Schaden ift,
den er bei feiner Winzigkeit und feiner Seltenheit anrichten
kann, fo gibt es doch Menfchen, die ihn auszurotten beftrebt
find, denn fie fagen, er fchade der Fifcherei. Wohl fängt der
Eisvogel gelegentlich Fifchbrut, und darunter ift auch manchmal
eine junge Äfche oder Forelle. Sein Schaden kommt aber bei
feiner Kleinheit kaum in Betracht, zumal jedes Eisvogelpärchen
ein fehr großes Jagdgebiet hat, das es gegen die Übergriffe
anderer ihrer Art eiferfüchtig verteidigt. Darum ift es eine
Roheit und eine Ruchlofigkeit, diefen allerliebften kleinen Fifcher
zu fangen und zu erlegen.

Der Eisvogel fiedelt fich, wie die luftige und harmlofe Waffer-
amfel, nur dort an, wo es eine Unmenge von Gewürm und
Larven aller Art, zudem noch fo viel wenig wertvolle Fifche,
wie Schmerlen, Ellrißen und Groppen gibt, daß es ohne jeden
Belang ift, wenn er fich auch manchmal eine winzige Äfche

oder Forelle zu Gemüte zieht. Jedenfalls schadet eine große Äsche oder Forelle der eigenen Brut mehr, als zwanzig Eisvogelpärchen.

Darum, wer ihn hat in seinem Reiche, sei er Jäger oder Fischer, der freue sich an ihm, und schone ihn, stelle ihm nicht nach mit Schrot, Tellereisen und Leimrute, denn er stellt sich damit ein böses Dummheits- und Roheitszeugnis aus. Unsere Kultur sorgt so wie so mit ihrer Sucht nach Ufergeradelegung und Buschausrodung allzusehr dafür, daß diesem Vögelchen unserer heimischen Vogelwelt die Daseinsbedingungen arg beschnitten werden, ihm, dem herrlichsten von allen.

Inhalt

198

199

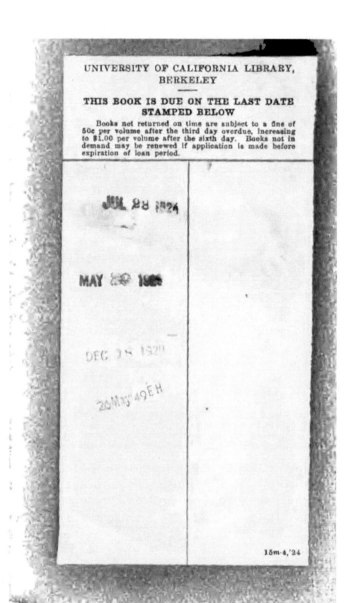
200